博爱书系·北村文集

愤 怒

北村　著

上海三联书店

图书在版编目（CIP）数据

愤怒／北村著.—上海：上海三联书店，2009.11
（北村文集）
ISBN 978-7-5426-3174-9

I.愤… II.北… III.长篇小说-中国-当代
IV.I247.5

中国版本图书馆CIP数据核字（2009）第207910号

愤　　怒

作　　者：北　村
责任编辑：戴　俊
策划编辑：董保军　张天罡
特约编辑：蔡荣建
出版发行：上海三联书店
　　　　　（200031）中国上海市乌鲁木齐南路396弄10号
　　　　　http://www.sanlianc.com
　　　　　E-mail:shsanlian@yahoo.com.cn
印　　刷：北京温林源印刷有限公司
版　　次：2010年3月第1版
印　　次：2010年3月第1次印刷
开　　本：787×1092毫米　1/32
字　　数：150千字
印　　张：13

ISBN 978-7-5426-3174-9/I·453
定价：20.00元

文学的"假死"与"复活"

北 村

　　若干年前，我在一次关于文学是否会死亡的电视辩论中称：文学不可能死亡，因为它意味着人的灭亡。那是一次无法展开和深入的辩论。今天重拾话题，我要说的是：文学的载体和宿主已经死亡，文学的境遇发生了重大变化，今天越来越少的人阅读纸媒体上的文学，人们只关心诺贝尔奖的奖金是否用于作家还债；读者大量吞咽动漫，海量汲取资讯垃圾，是浏览，而非阅读；网民在网上"集体"创作，无论作者还是读者在狂欢后都陷于更深的孤独。文学真的边缘化了，这是世界性的困境。试想，一个连信仰都不再尊崇的人类，还会相信文学吗？从这个意义上说，文学确实"死了"。人们不再相信统一的知识，也不再用统一的价值来解读这个世界。这个世界被割裂，显现出一个基本特征：所有的价值判断都没有断案，仿佛延展无限可能，实际上尊崇的是偶然法则。如此，便无法整合世界的图像，人就碎片化了。从尼采宣布"上帝死了"、卡夫卡关于"人是甲虫"的宣告开始，文学就开始陷入无力，因为人再没有信心指证和呈现真实，一只甲虫是无法了解人的世界的。接下来除了有三次典型的垂死挣扎：海明威斗鱼的幻觉、福克纳的"苦熬"与加缪的"西西弗斯神话"，至此，文学正式终结为一个神话，意味着它不再干预人类、而成了与人类无关的聒噪。英语的荣耀和力量永远地失去了，只有以拉什迪等殖民化语境的英语创作来试图恢复这种光荣记忆。文学成了文物，或者影视改编的母本。文学如果真的死了，那么，继续创作和阅读的意义在哪里？

十几年前，一些出版商陆续开始找我出版个人文集，我一一婉拒。我觉得那时出版文集就是将我送入坟墓。今天我突然同意出版文集，因为境遇变了，我要借着这一次的总结告诉我自己，也告诉我的读者：文学到了什么关头。我的创作开始于中国浪漫主义、理想主义和自由主义最复兴的上个世纪80年代，在世界性的文学已经式微的时候，中国却出现诗意盎然的理想主义黄金时期，是一种特殊错位。我作为所谓中国先锋作家之一登上文坛时，以一批"者说系列"加入了这场文本狂欢，代表性的作品如《聒噪者说》，它描述了语言的歧义导致真相沦陷的秘密过程。实际上当时的我并没有西方正在经历的所谓"异化"体验，我只是在文本上体验，但这部小说却像预言一样准确地描述了今天我身处的境遇——语言无法叙述真相，所以失去了前途。这就是文学的意义，语言即历史，文学即预言。但这场狂欢难以为继，进入90年代，我被自己描述的这种无意义的聒噪彻底淹没和解构，以至于几年写不出一个字来，完全失语。直到1992年我进入信仰，才重新获得信心和能力来描述我的存在，一种狂喜直接导致了《施洗的河》、《玛卓的爱情》、《水土不服》和《张生的婚姻》等作品的问世，它们用一种从信仰而来的神圣光辉穿透世道人心，我第一次进入了人性内部观察它的纠结和挣扎，我相信人是无法仅凭着有限的人性能够洞察另一种人性的，好比有两个茶杯放在桌上，让一个杯子说明另一个杯子是荒谬的，除非造它的人愿意告诉它。随着信仰道路的艰难挺进，我发现人性的复杂性在超越性力量介入时，会呈现同样复杂的过程和难度，也就是说一个作家如果以手写我心的话，他必须首先在自己的信仰道路上有一种个人史，才能描述人性在圣化过程中的所有难度，而信心又不因此被摧垮。这个时期我的代表作品是《周渔的喊叫》，日后改编为电影《周渔的火车》，已经基本脱离小说的本义。这个时期的我正在信心道路上接受试炼，所以周渔的精神困境被放大了。我意识到这种试炼几乎影响到我的信心，于是我创作了《望着你》这样的纯爱小说来安慰自己，但几乎同时我又写了《玻璃》这样描绘个人在追求终极目标的巨大困难的小说来否定《望着你》。我是多么矛盾！直到有一天我意识到：我可能只是一个器皿，我的个人如果不再以光和盐的方式存在于世界，我的所有追问和纠结不但没有意义，还会被心思缠绕以至于陷入黑暗，最后令我信心陷落。这次转向直接导致了《公路上的灵魂》、《愤怒》和《我和上帝有个约》的写作。我现在确信，我是一个器皿，有生命的管道，我用我的信心而非聪明和才智解释我面对的世界。从我十六岁发表第一个短篇小说开始，近三十年的创作我唯一能告慰自己的是：我的小说写作从来没有离开过我的个人体验，所以，我从来不曾因失语而结束我的创作，我会一直写下去，从不担心写不出或没东西可写，因为我写的是我自己，江郎才尽与我无缘，因为我从来不靠才华写作，我的写作皆来自启示和试炼，它与我个人寻找终极价值的道路紧密相随，以至于它成了我的个人史。

好了，现在我把这些作品结集出版时，当我雄心勃勃有了足够的准备要写我的个人"巨著"时，世界却发生了巨大变化。文学不再是人们生活中的重要部分，人们沉溺于上网浏览、动漫游戏和廉价剧集，读文时代结束了，读图时代开始了，技术时代的所有特征——呈现。这是真的吗？人们似乎对文字厌倦了，语言的美感不再是一种魅力，反而是一种伪饰，生活的无趣化使奇迹不再有，所以人们只能接受神奇的文本（如高科技大片和玄幻小说）试图敲醒昏昏欲睡的神经，以描述真实生活经验和心灵的文学就此死亡。这是真的吗？我的朋友朱大可一度有这样一个观点：通俗文学占有空间，传统文学占有时间，现在他和我都认为，甚至传统文学连时间都无法占用，文学已万劫不复地消逝了。可这是真的吗？我不相信。因为文学若真的死亡，人类的末日就来了，这是很严重的事情。

后来朱大可修正了这个观点：文学并没有死亡，只是"蝶化"了，死亡的只是它的载体，它正在寻找新的寄主。我部分同意他的观点。文学是一个幽灵，在人类的第一个时期，它的寄主是说唱和吟诵。第二个时期是书写和阅读，主要表现形式是小说，小说艺术19世纪在托尔斯泰和陀斯妥耶夫斯基身上发展到了顶峰，然后开始衰退，整个现代主义就是见证过程和解构过程，这就是上个世纪60年代后西方再也没有出现伟大小说的原因。第三个时期就在今天，文学进入了"看"的时代，文学会藏匿于各种新的媒介之中，就像甲流病毒一样，与宿主共存，继续显示它的存在和力量。成功的范例如电影《魔戒》。但我对此质疑的是：神奇的话语方式，能否准确叙述生活和生命的本质？是否消解真实？真实若不存在，力量在哪里？是否只存有震惊效应？所以我的结论是：文学不会死亡，"蝶化"写作和安静的传统写作会长期共存，后者面临失去读者的危机，但坚持的作家只为自己的见证而写，今后的写作都是面对祭坛的写作，只有这样才能继续写作，它成为了一种心证，是向信仰交代的。这就预示：今后的作家若没有信仰是绝对写不下去的，即使写下去，也终会淹没在自己黑暗的自言自语中。当然同样，我也相信一定会有一批智慧的读者，坚持读真正的安静的文学，他们不再仅仅是读者，他们也是作者，将和作家一起见证这个转变的时代的心灵镜像并创造新的历史。事实上多媒体和网络的运用并没有使人性提升，除了有限的资讯优势，更大的病症被显示出来：人们被淹没在资讯大海中变得无力、渺小和无所适从，失去了选择的依据；图像的单一性抑制人的想象力使人逐渐愚钝甚至白痴化；因为无法获得心灵帮助而愈发空虚，虚拟世界使人无法分辨真实而变得冷漠，情绪就走向颓废；碎片化让人无法整合统一的知识从而放弃终极价值，意志于是消沉；人可以在网络通达世界任何地方，人却更加孤独，因为一切都是虚拟的。

因此，最后的写作者和阅读者就是能有效抵抗孤独的"最后的贵族"。无论外部世界如何发生变化，他们只相信内心所显示的真实，正如典籍中所说的：信，是一切所盼望之事的实质，是尚未到来之事的确据。他们是靠"相信"而非"眼见"判断真实和未来，这是真正的浪漫主义，也是理想主义的本质。他们和作家共同创造真正的"奇迹"，而不是"奇人异事"。所以，文学并没有死亡，它只是"假死"，它在这样的作家和读者合谋下"复活"了。我的作品就是为这样的人写作和预备的。相信文学，相信语言，因为只有语言，是意味深长的。

是为序。

2009年12月11日于北京高远居

目 录

爱　情

　　早上八点，黄城县副县长陈佐松准时上班。他推开窗户，堆积在小城上空的黑云阴郁不散，仿佛一只巨大的墨鱼在持续而缓慢地喷发黑色之物。这就是黄城的特色，天气不好，这是众多来过黄城的人说的，然而他们又无法作出更多的指责，这种积压的乌云持续不散，但也不会马上聚集成雨，所以你抓不到证据。那种类似雾一样的东西在小城上空飘来荡去，你若认定它是雾，空气中又缺乏应有的湿度，多数人明显地感到了干燥的空气对喉咙的伤害，必须不停地喝水。眼下陈佐松就是这样，他灌下一大杯昨天下班前留下的冷开水（据说这对身体很有好处），一股凉意立即从他的身体各处四散，好像他的士兵奉命迅速地到达指定位置。

　　陈佐松的书架上摆着一张他和李百义的合影。照片中的那个人是他的密友，也是他烦恼的根源。李百义长相清瘦，或者说清癯更准确一些，就是人们常说的苦瓜脸。如果缺乏有关家财万贯的李百义作为黄城最著名慈善家的佐证，你会相信这就是一张乞丐脸。他眉宇间有一种突起，就是两撇眉毛距离较近，这常被作为固执的象征，事实上就是这样。作为陈佐松的好友，李百义经常固执己见一意孤行，留下难处给陈佐松处理。但人们找不到证据指责李百义，因为他所做的一切都不是为自己，他把近一千万财产全部投入黄城的慈善事业，自己却穿着一件衬里会往外翻的破西装。

今年六月，李百义作为一位党外人士被提拔为副县长，获得全票通过，和陈佐松平起平坐。但奇怪的是他一直没有到任，这并不是由于李百义有淡泊官场一说，事实上当官对于李百义的吸引力不在于名利，乃在于他有一个宿愿，在用自己的钱做好事之后，他需要权力继续这一事业。这也是一种猜测的说法。

但三个月过去，李百义不但没有到位，而且从黄城神秘地消失了，谁也找不到他。李百义没有老婆，他的养女李好也找不到父亲。县委书记责成陈佐松迅速找到他，但他一无所获。陈佐松产生一种类似妒忌的愤怒，作为李百义最好的朋友，居然不知道他在哪里，这是很丢面子的。

终于有消息慢慢传入陈佐松耳中，这是迄今为止黄城第一次有对李百义不利的传闻。有关这个著名慈善家和女儿乱伦的谣言轻手轻脚地四下游走。如果这个传闻的制造者来自于李百义的对立面，为了阻挠他的就任，这种说法是站不住脚的。李百义的善举全城皆知，几乎找不到任何微小的证据表明他的人格破绽。甚至当时他的副县长竞争对手听说战胜自己的是李百义，也心服口服，他还投过李百义一票。

李好是李百义九年前在黄城办孤儿院时收养的第一个孤儿，后来就和他一起生活。陈佐松不相信传闻，但李百义的确神秘地消失了，好像为谣言佐证一样，陈佐松甚至没有机会来为李百义洗刷污名。

陈佐松打通了李好的电话。李好在县电视台当主播，她的声音在那一头显得有些疲惫。让陈佐松震惊的是，对于传闻李好支吾其词，似乎一切现象都在慢慢指向那个可疑的结论。陈佐松表示他非常急切地要和她见一面，李好没有反对。

陈佐松来到楼下，天边的乌云迅速聚集，他感到了它的重量。空气终于潮湿起来，这是一种要下雨的征兆。街上有人轻声议论，因为这是久违的雨季，难免让人产生异样的感觉。陈佐松张开嘴，沉重而潮润的空气滑过嘴唇，真是可以喝了。

陈佐松赶到咖啡厅时，雨终于落下来了。这次的雨点特别奇怪，大得像手指头一样，敲打着人们的脸。副县长约一个年轻姑娘在一个咖啡厅见面在一个小县城是很奇怪的，若不是为了特殊的私事，陈佐松不会这么干。他既不想把李好约到办公室，也不想到李好家。所以，陈佐松约她到一家亲戚开的咖啡厅见面。

咖啡厅里没有人，显得空寂。李好比陈佐松晚到一分钟，她的美貌原本在陈佐松眼中从小看大，习以为常，但现在看来有一种刺眼。事实上陈佐松是干部中难得的性情中人，他看多了官场腐败，唯我独清之法就是找到一个志同道合的好朋友，李百义是不二人选。如果连李百义也持守不住，他就非常绝望。所以他在干部扩大会上公然说，我的清白是有证据的，因为我跟李百义在一起。如果有一天李百义出事，我也出事，李百义今天倒，我明天就跟着受贿拿钱。我们是捆在一根线上的蚂蚱。现在，李百义的谣言出现，陈佐松感到的不仅是失望，好像痛苦的成分更多一些。

李好神情疲惫。她叫了一声陈叔，额上打了一点雨水，一绺头发耷在那里，使她显得更加动人。陈佐松这才发现李好其实是长得非常美的，可是他从来没有注意过她，现在李百义似乎要出事，他也跟着心动。被这样一位养女吸引,似乎也是可以理解的。陈佐松觉得有一种可怕的神秘力量,开始左右他和李百义的命运。

李好显然猜到了陈佐松约她的原因。她用手巾纸擦着额头,一句话也说不出来。陈佐松心中已知大概,失望侵上他的脸。他说,你们,你们怎么会做这种事呢?

李好为父亲辩解,这不关他的事。

陈佐松说,这怎么会不关他的事呢?他现在差不多要垮了。在上任之前,一切都是可以改变的。

她说,事实不是那样。

那事实是什么?

我们没发生什么。父亲也没有任何行为违背道德,他是被我吓跑了。李好说,是我爱上了他。

律师出身的陈佐松善于推测事物的各种可能性,现在他还有执业律师的资格,但他居然没有想到这个。这是一个很容易的推测:一个十一岁的养女长大后,由于感恩突然爱上了父亲。这不是很难理解的,再说了,这个父亲比谁都可爱。

陈佐松半天没说出话来。是这样……他望着李好,可她的脸上没有开玩笑的意味。

你向他表达过了吗?他问她。

李好点点头。这时外边的雨越下越大,天空中碾过沉闷喑哑的雷声,像是一支庞大的军队过境。李好望着雨,突然流下眼泪来,陈佐松心中震动。从她的表情陈佐松第一次看到了一个二十岁女子脸上的爱情,那是一种像外面的雷声一样郁积了十年,现在终于缓慢爆发的东西。奇怪的只是这种爱情是对父亲的,从父爱渐渐转变成情爱。它是从什么时候开始的呢?陈佐松极力从记忆中搜索它的边界。

天上的雨终于变成了倾倒。由于过于猛烈的雨水，空中织起了雾状的烟。有人在街上狂奔，都是些年轻人，对这场久违的暴雨他们按捺不住心中狂喜。李好回忆的声音被掩盖在风雨声中，但陈佐松能听到整个事情的脉络：所有的秘密都起因于李好爱上了父亲，而且据她所说这种感情实际上从她上中学时就开始产生，但李百义浑然不觉。他对女儿的爱几乎到了可称为溺爱的程度。有一次李好要吃樱桃，李百义骑了一个小时单车到乡下果园为她买来。大约就是这种爱，现在换来了女儿的爱情吧。因为亲情似乎已经不够承载它了。陈佐松想。

　　李好把爱埋在心底。现在陈佐松回忆起生活点滴，李好对父亲的爱就浮现出来，只是他过去一直把这种感情看成是养女对慈父的感情回报而已。但他仍然对这个冒失的丫头带来的麻烦感到恼火。

　　他说，你怎么能做这种事呢。你就是想到了，也不该做，就是做了，也要把它捂起来，好了，现在满城风雨。

　　我觉得我没做错。李好说。

　　这句话把陈佐松气坏了。他知道这就是所谓爱没有过错的陈词滥调。他站起来对李好吼了半天，从李百义如何辛辛苦苦把她养大，如何将一生投入慈善事业，可是她把他的一世清名毁了。李好吃惊地瞪着眼睛注视陈佐松，她从来没见过这个熟悉的人如此光火。

　　你现在赶紧找到你父亲，跟他说清楚。陈佐松起身道，说他还是你的好爸爸。别的事我来处理。

　　李百义出现于五天之后。这五天突然变天，持续的雨水把人的心都浇透了。黑水上游传来洪灾的消息。李百义的行踪如果是和洪灾一起出现的，那就是最可靠的了。在黄城，灾害和李百义几乎是一个同义词。哪里有灾难，哪里就有李百义。

陈佐松穿着雨衣，在堤坝上熬了一夜。由于洪水突然来临，加上人们对久旱逢甘霖的兴奋超越了对持续下雨可能带来危险的警惕，几乎没有做抗洪的任何准备，直到这雨像眼泪一样下个不停，河水越过了堤坝，人们才开始觉得诧异。现在，成千上万的人像蚂蚁一样爬在河堤上也无济于事了，他们来不及把土装进沙包，在进沙包之前它们已经被风雨打成泥浆。防洪人员只好动用砂石场的砂石。

陈佐松脸上散发出一种绝望的气息，那是对老天的埋怨。这么大的洪水发于一个久旱的地区，这是一种捉弄。如果不是这个地方的人对老天有所亏欠，是不会遭到这样的惩罚的。陈佐松的内衣湿透了，就像穿了一身冰盔甲。他对阻挡挖运砂石的砂石场老板大发雷霆，威胁要关闭他的砂石场。那家伙老实了。

陈佐松骂骂咧咧，心中不平，他是黄城干部中最苦命的一个，只要灾难出现，他总是第一时间出现在现场，这是他的职责。另一个出现的人是李百义。所以他们是一对。但李百义有荣誉，他没有，反而可能因为微小疏忽受到指责。在一次重大车祸中，本来没死人，但其中有一个患心脏病的老人在送医途中心肌梗塞死亡，书记把陈佐松骂了半个钟头，好像那个人的心肌梗塞是陈佐松策划的。这种指责让陈佐松愤怒到了极点，但李百义使他恢复平静。

他告诉陈佐松，人是不可能为了取信于别人而行善的，因为人有缺陷。一个有缺陷的人不可能要求另一个人达到完美，并非他没有这样的权力，而是没有这样的能力，因为他不知道完美是什么。

陈佐松觉得李百义这个道理很深刻，也暂时平复了内心愤怒。陈佐松只服从一个人，就是李百义。在他看来，只有李百义是那种看上去几乎没有缺点的人，只有李百义有权力指责他。这几年陈佐松完全是靠和李百义的友谊支撑着工作，他对副县长这个倒霉差事厌烦透了，成天想着回去当律师。

直到李百义居然有一天选上了副县长，陈佐松感到希望重新来临。在他看来，完全有可能因为李百义的加入，使副县长这个工作变得有趣和有意义起来。但就在这个时候，传来了李百义乱伦的谣言。现在，陈佐松孤独地在堤坝上走来走去，嘴里咒骂，心潮难平。他即使相信李好的话，李百义完全无辜，谣言也是长脚的，等到真相大白，李百义也已经毁了。但他相信一条道理：好人并没有好报。好人之所以存在，不是因为有好的报应让人期待，而是因为有信仰。李百义就是这样。

陈佐松一边指挥抢险，一边脑子却是乱糟糟的。他到处找李百义，问他来了没有。两个钟头后他在洪口管涌处重新见到李百义，是在他奄奄一息即将毙命的时候。有人到他面前大喊大叫，说出事了，出事了。他听到报告说李百义在雨后的第一天黄昏就来到石湾豁口，他会看天象，看出这雨要到半个月后才会止住。一切果然如李百义预言。但之前并没人相信他的话，谣言缠身的李百义的权威正在消失。所以没来得及做抗洪的准备，洪水就来临了。只有李百义自己带着他的工人在最危险的石湾一带筑了防洪堤，别处则门户大开。大水淹进城里，蛇从各处钻出来，人们才恍然大悟。

李百义在现场苦战了几昼夜，陈佐松听到了他的消息，但一直没见着。等到他见到李百义时，这个家伙已经躺在担架上，脸色苍白，不断地大口大口呕吐。这是食物中毒的症状。洪水使谷子发芽，他误吃了带毒的谷种，所以中毒。

陈佐松听了气不打一处来。他深知李百义的本性：左手大把出钱救济穷人，右手对自己却像对待长工一样无比苛刻，到了近乎自虐的程度。所以这个人吃有毒的谷种是活该。

陈佐松握着他的手，可是李百义还在吐，好像连胆汁都吐出来了。陈佐松大声咒骂：你这个糊涂虫，你又不是乌鸦，吃谷种干什么！

李百义迷迷糊糊地说：……你放心，我命比石头还硬。陈佐松知道他说的是什么意思，李百义什么苦都受过，所以什么都不怕。

他被抬上汽车时又对陈佐松说，放心，车都轧不死我，鬼都怕我……

陈佐松说，我也怕你……你给我好好治，好好活着，我还有话要问你。

李百义送走了，陈佐松回到现场继续指挥。现在他有干劲了，就是李百义给的干劲。李百义是陈佐松的精神源泉。

李百义在一天一夜之后醒来。

苏醒之前，李好一直守候在他身边。当她在急诊室第一次看见李百义昏迷不醒的时候，几乎要晕厥过去。她扑在父亲身上，叫着爸爸。

这是一种夹杂着父爱的情爱呢，还是一种夹杂着情爱的父爱，或者说两者是一回事？在一个感恩的年轻姑娘心中，突然升起的爱已经从感恩转变成另一种坚韧不拔的情感，总归是对一个男人的爱吧。

李好不停地抚摸李百义的脸，理他的头发，伤心欲绝，使得医生无法实施抢救。李好看到一幅画面：李百义正在远去，向她招手……医生和护士好不容易把她劝开，安顿在急诊室外面。医院里的人开始相信那个游荡在城里的传闻，眼前这个姑娘在肆无忌惮地表达感情，没有一个人会相信这只是情感丰富的女儿的单相思。

几个小时过后，李百义仍然昏迷。李好几乎要疯了。她不停地跟他说话，在他身边唱歌。医生看出她反常的表现，向她解释这只是正常的昏迷，毒药并没有真正伤害到李百义的神经，不超过一天他就会醒来，这之前昏迷是休息的一部分，或可以说是用药之后的一种沉睡而已。

但这对于李好无济于事。她在他身边不停地说话，把她的爱倾诉出来。来看望李百义的领导们都目睹了这一画面。他们仔细打量李好，心中的猜测慢慢被证实。陈佐松心急如焚，把李好叫到走道，警告她这将对李百义不利。

李好第一次用一种无所谓的眼神看陈佐松，说，我不怕，我和他结婚是迟早的事，我爱他，关别人什么事。

陈佐松终于发现，事情的严重性远超过他的估计。就算李百义没有一点责任，这也是他对女儿过分溺爱的结果。他的爱惊天地泣鬼神，以至于会如此万劫不复。这个每天与李好朝夕相处的父亲，成了这个世界上男人的最佳样板，也是唯一的不可超越的偶像。她的爱已经预备好，好像火药储满等待引信一样，当岁月来临，春暖花开，李好对父亲的情感就在一夜之间突然转变，成为生死不渝的爱情。

陈佐松无可奈何地离开了医院。

李百义渐渐醒来。准确地说不是从昏迷中，而是从睡梦中苏醒。他看见了女儿，因为李好把他紧紧抱住了。

李百义让她不要难过，说他没事儿。可是女儿没有松手，她做出了一个让他感觉异样的动作，亲吻他，吻他的脸，眼睛，甚至嘴……

李百义说，好好，别这样，啊。他习惯称女儿为"好好"。

可是李好不放手。李百义摸她的头，说，你看，我没事儿，啊。

李好把脸贴着他。护士都看见了。

李百义拍女儿的头，说，好好，放手。

不放。李好说。

李百义很尴尬，对护士说，你看她……这孩子。

李好的眼泪流淌在李百义的脸上。他感觉到了，那是一股温暖的细流。他突然也禁不住眼眶红了。

李百义知道在女儿心中，有一种非常特别的东西，那是一种对爱的回应。这是李百义从事慈善事业多年来一直没有品尝过的，他最需要的东西，他的亲人对爱和奉的回应。李百义听过无数人的夸奖和赞誉，但他不会在意，他的心中早就放弃了对声名和荣誉的追逐。他倾尽心力爱别人，不求回报，但他今天知道了，他虽然不求回报，但他是需要回应的。回报和回应不同，回报可能更多是物质的，而回应却是一个心灵因为被另一个心灵爱，而恢复了爱的信心，产生了爱的能力，从而对爱她的那个心灵自然产生的一种温柔的回答。

就在这一刹那，李百义突然感到：女儿已经长大了。他似乎在慢慢理解为什么她会对自己产生爱情。几个月前，当女儿第一次把一封情书塞到他的枕头底下时，他还以为是一个玩笑。那天早晨，李百义起床后整理铺盖时突然发现了一个信封。信封上写着：李百义收。在此之前，李好给他留便条都写着：爸爸收。

李百义读到了那封由女儿发出的动人的情书。这是李百义收到的第一封情书，居然是女儿发出的。李百义从来没有谈过恋爱，除了母亲和妹妹，他生命中唯一接触的女性之爱来自于李好，可以确定，这是没有血缘关系的男女之爱。九年前李百义把李好收养下来时，他就决定要投入这辈子最深沉的父爱给这个孤儿。现在他发现，女儿对爱的回应比他更深沉，在情书中她仍称他为爸爸，但所有的语言都倾注了一个年轻姑娘对她的爱人最炽热的爱情。

李百义当年种下的桃树，现在开出了另一种花朵。

乡 村

　　李百义心神不宁。这是多年来他少有的慌乱。这是一个意志坚定的人。见过李百义的人对他的印象是：这是一块铁，而且是一块生铁。他的爱表达在金属般的意志里，从不儿女情长。从少年时代开始，他就处心积虑如何填饱肚子，苦难快把他压垮了，以至于让他忽略了喉结突出时发生的变化：在整个青春期李百义没注意过女人，他对女人的印象就是母亲一张痛苦的脸和妹妹在鞋厂蓬头垢面劳作的画面。青春期的冲动似乎在睡梦中探一下头就滑走了，他把所有的精力先用来为自己、后用来为别人谋求粮食。就是这样。这就是李百义的异性史。

　　所以现在李百义无计可施，不知道如何处理女儿的信。他的方法就是不处理。但他没有把信销毁，而是小心地放在保险箱里珍藏起来。

　　李百义为什么不理会女儿的示爱，却又要珍藏情书？看来女儿的信是把李百义打动了。这可能不是爱情，但它是这个奉献半辈子的人得到的最好礼物：对他的爱最深沉纤细的回应。这个回应来自于他最亲近的人，所以闻起来就很像爱情的味道。

麻烦的是李好没有因此住手。她开始接二连三地给父亲写信，写到李百义无法回避了。他会装作什么事也没发生。吃饭的时候，李百义还是像以前一样做女儿最爱吃的东西，他像一个母亲，保持着终生给儿女做饭的习惯，每当李好要帮忙，甚至要自己盛饭，李百义都不让，所以他对李好的爱被陈佐松说成是溺爱中的溺爱。如果说别人得到的爱是李百义的博爱，那李好得到的就是他的溺爱。

但事情有了变化。自从那封情书出现，李好就再也不让父亲盛饭了，她极其固执地开始帮忙做家务。李百义起先只以为这是女儿懂事的标志，事实上孤儿出身的李好并没有李百义想像的混沌，他总是把她当小孩。李好的心中慢慢觉醒的东西，起先可能是一种回报，被李百义压抑下去了，可是它后来变成了另外一种东西，叫回应。这东西慢慢成长，现在它成熟了，就是爱情。

这真是让李百义始料不及。但已无法改变。他收到第一封情书时，还没有大的心理震荡，可是情书接二连三地出现，李好的每一句话每一个字好像都是在对一个充满爱又孤独的心灵进行温暖和甜蜜的抚摸。李好在饭桌上开始用一种爱人才有的眼神打量李百义，也不再和父亲开玩笑了——这是一个重要标志。李百义明白，事情比他想像的严重得多。

他专门用了一个晚上的时间和女儿谈话。他不记得当时他说了什么，他知道他说的话并没有什么力量，但意义明确。李好根本不听，她找到了一个好机会来挑破这个秘密。整个晚上她抱着爸爸，然后不停地流泪，也不说什么。李百义感觉到了，这种拥抱和以前任何一次不同，这是一个情人的拥抱。他颤抖了。他知道无济于事。于是开始躲避。

现在，在病床边，女儿还在拥抱他，李百义其实早就醒来了，但他没有睁眼，他不知道如何面对女儿，不知道睁开眼睛的第一句话该对她说什么。可是，李百义想不到女儿不但拥抱他，还吻了他。

护士们都看见了，开始议论。

他小声说，你不该这样做。这是医院。

李好说，我不管。

李百义叹了一口气。虽然他叹了气，但这种叹息中有一种微妙的变化，不仅是叹息，还有一种满足。这满足跟情欲无关，甚至可能跟爱情也无关，它只是一个认可，来自于女儿的。过去，李百义奉献自己，是因为他认为他应该这样做，这样做是对的，是正当的，所以无所谓快乐。就连好朋友陈佐松的友谊，也只是一种男人间的认同。但现在，他体会到了一种爱。没错，是爱。只是这种爱来自于女儿，让他为难。

李百义对李好说自己想吃元宵，让她到医院门口去买，顺利地支开了女儿。这个方法很管用。女儿走后，李百义闭上眼睛，突然他的眼角落下泪来，他迅速地擦干了它，避免让护士看到。

他想起了第一次见到女儿的情形。在李百义的心中，像过电影一样，九年前的事情一晃而过。她是个孤儿，一个十一岁的姑娘，天天沿着铁路线乱跑，在火车上找人吃剩下的盒饭。当时李百义正在孤儿院的工地上，蹲在地上吃盒饭。他还没吃完，只是把盒饭放在桌上，李好一把抓上就跑，她也不怕脏，一边跑一边往嘴里塞。李百义吓一跳，追了上去。李好拼命地跑，李百义就拼命地追。他的意思是要重新买一盒饭给她。可是她以为要抓她。李百义突然看到奔跑中的她裤子往下掉，露出了半个屁股。这画面李百义终生难忘：一个十一岁的姑娘端着一路撒开的盒饭奔跑，裤子下拉露出屁股……他的泪水模糊。从那一刹那，他决定要收养她，而且不是放在孤儿院里，他要把她当成自己的女儿。

女儿回来了，买了他最爱吃的酒酿圆子。李好喂他，问他好不好吃。他说，好吃。

这时，他从女儿眼中看到了一种不自然的神色。

父女俩没有说话。在一种奇怪的沉默中吃完了汤圆。

李好去洗碗。

就在洗碗的这十分钟时间，李百义决定了一件事情。他的心胸突然像大海一样打开了。他想在自己生病的几天，把所有的秘密跟那个他最亲近的女人说，这是迄今为止属于他一个人的秘密。

是时候了。十几年来，他所有的孤独都存在于这个秘密之中，它像一句话，被铁匠封在一个铁柜里，里面充满不能呼喊的语言。关于他是谁？他从哪里来？要到哪里去？他相信，等他向女儿说出秘密，李好就会重新像一个女儿一样，叫他爸爸。

李好回到病房，坐在他身边。

李百义说，好好，这几天你要陪着我，我有话给你说。

李好说，你如果还说那些，我不听。

李百义说，不，我给你讲故事。

以下的讲述出自李百义的口，但作了文学修饰。

孩子。我要给你讲讲我的故事。我从来不给你讲我的过去，是因为它浸透在忧愁里面。你是孤儿，我不想让你听这个。你的忧愁已经很多，也很长。自从收养你的那一天起，我就发誓要让你忘记这些。

我家在江西吉安。我的原名叫马木生，不叫李百义。我住在一个很小的自然村里，直到九岁我都没见过汽车，你不会相信，但这是真的。有一次我要父亲带我去看汽车，他就领着我翻了四座山，就是牯牛岭、乌山、蛇山和黑头峪，趟过赤河，走了大半天来到公路上。那公路好大啊。可是我坐在石头上等了一下午，没看见一辆汽车。天黑了，父亲要带我回去，我不肯，因为我没看到汽车。父亲说，好，我带你看。他拉着我的手蹲在地上，趁着天还没完全黑，父亲让我看马路上的两道车辙。他牵着我的手摸辙印，说，孩子，你看见了吗？这就是汽车。它有这么宽，这么高。你看这辙有多宽，多深。你看见了车辙，就看见车了。车就是这样的。这就是我第一次看汽车的经历。

饥饿是我童年的习惯。我是说它不再是一种痛苦，而成了习惯。这样理解饥饿会好受些。我几乎没有吃饱的经历，我就是能有饭吃，肚里没有油水，还是饿得发晕。我现在回忆，当时我的所有心思就是花在如何弄些东西入口，我永远饥饿，一整天总是听到肚子里发出响亮的咕噜声。所以我到处寻找食物。有一次我偷了村长家的猪油，硬是把一大罐猪油全部吃进肚子里，泻了一个星期，差一点死掉。我的肚子受不了油。我唯一的美味就是知了。我用蜘蛛网缠在竹竿上粘知了，然后把它投到火里烤。一咬一口肉香，啊，这是我的佳肴。

但这还不是最屈辱的。最难过的是我妈的事情。她因为容貌姣好，长期被村支书霸占，有时能因此得到一些好处。奇怪的是我的父亲对此毫无办法。他是天底下我见过的最懦弱的人，才三十出头，像五十出头。他生了一种病，走走就喘气儿，后来我才知道，哮喘，几乎丧失了全部的劳动能力。他唯一的治疗方法就是睡觉。书记见缝插针，叫一些人来帮我们种地，就趁机霸占我妈。

村里都闹翻了，议论我妈的事情，父亲好像没听见。村支书公然跑到我家里来，和我妈在房间里睡觉。他躲到后厢房去装病。我十岁，拿了一根木棍，冲进去要敲死那个家伙，我进去的时候，他们正在干好事儿。这时，我看见了我的母亲，看见了她的脸。那是一张至今我看过的最悲哀的脸，她爱我，可以把吃进嘴里的东西再挖出来给我。可是现在她却被一个不是我父亲的男人压在底下。我抡起木棍就打，那个男人伸手挡，棍子都落在我妈身上。男人看着我，突然哈哈大笑起来。我妈让我出去。我不出去。妈就用她那最悲哀的眼神注视我，求我，伢子，出去。很快就好了，听话。马上就完了。

你听，她叫我出去，你听，她说，很快就完了。这个意思是说，床上的事，就是这件让我最屈辱的事马上就要结束了，让我忍一下。这是我此生听到的最痛苦的话。一个母亲在别的男人胯下对儿子说，你忍着点儿，因为事情快完了。

我第一次意识到，什么叫不平等。什么叫不公正。我妈那张痛苦的脸让我明白，她不是在享受，而是在忍受。因为这种忍受能带来一点好处。这是对我母亲的性的强权，对的，就是性的强权。这是不公正的。当天晚上，我大喊大叫，母亲怕邻居听见，捂住我的嘴。父亲在一旁抽闷烟。我看见了，这是书记抽的那种烟，是书记留下给他的。我的父母让我懂事些，不要乱嚷。

那一天，母亲特地做了肉，让我满足。这是我久违了的肉。可是我吃了像人肉似的。我把肉碗掀翻，立即挨了母亲的耳光。我看到了她奇怪而严厉的眼神。父亲也把我拖到天井里，用我那根棍子揍我。我被屈辱浸透了。在我父母眼里，这件事并非不公平，至少是心甘情愿受辱的。家里只有母亲一个劳力，一切就得承受。我不明白，我所尊重的父母亲怎么会有这样一种想法，生存比尊严更重要吗？猪肉比母亲的身体更美丽吗？只要有交换，一切就是公平的。这就是所谓公正吗？

我不知道。我那比我小五岁的妹妹更不知道。她是个漂亮的小姑娘，可是经常就睡在尘土飞扬的地上，像一具小尸首一样。这幅图画就是我们这些农村人的生活缩影。没有尊严，毫无价值，自生自灭，没人把我们当人。我相信，人生来就是不一样的。这是没法子平等的，我认了。但人生出来后，还要遭受这样的不公平，我就不服。我这人和我父亲不同，倔强、聪明，凡事要问个明白。我在乡里上到中学就辍学了，因为我们交不齐几十块钱的学杂费。母亲被那个家伙抛弃了，谁也不再帮我们的忙，我们一无所有了。可是我很好学，我爱看书，我有一项本领，到村委会偷书看。我把那里的书全看光了，还是没人发觉我偷书。我把《土耳其长毛兔养殖方法》这样的书都看了，认的字比高中毕业的人还多。

我记得看过这样一本书，是外国的，书名我忘了。故事说一家人饿得半死，四个小孩成天找东西吃。有一天母亲开始做一只鸡，孩子们高兴坏了，躲在桌子底下等着。鸡做好了，母亲端给最年长的爷爷吃。爷爷想给孩子们一些吃，被沉默的父亲强烈制止。一向爱孩子的爷爷奇怪地一个人独自吃完鸡，穿上衣服出门了。外面冰天雪地，父亲也跟出去了，他的手上握着一把斧头。那一天之后，爷爷再也没有回家。

这是我读到的最恐怖的故事。也是一个关于饥饿的故事。但我想不到它也是一个关于死的故事。我想，如果有一天，我们也没有东西可吃的时候，我也去死，像那个爷爷一样，减少一个人口。因为这样活着是实在没意思的。但我又不甘心，我有力气，有头脑，我像读过书的人一样聪明，为什么我要这样死去。我要活着，活得好好的，我有妹妹，我要让她穿上最好看的衣服。我还被这本小说感动，我发现小说竟然有这么强烈的感染力。我想当作家。我这么聪明，可是我却穿着乞丐一样的衣服，像狗一样活着，这就是我的矛盾。

　　我的母亲比我父亲更早死去。她太累了，一直患子宫脱垂，这是农村妇女劳累的常见病。但到后来她老出血，就死了。我告诉你，到死我们都不知道她是什么病，我现在想，可能是宫颈癌，但我们那时根本不知道，因为我们没有任何条件知道她患了什么病，连死了也不知道死因，是我们这些低下人群的特权。好像连恐惧也没有，因为不知道什么病。母亲后期一直喊痛，不停地流血，我们就递给她草纸擦。村里的诊所当子宫出血医，吃止痛片。母亲连止痛片都舍不得买，只到了最疼的时候吃，仿佛是回春的仙丹，好笑吧？母亲就这样吃着止痛片死去了。她死时对着我悲哀地喊，我背酸哪，伢子，给我拿枕头来，我要枕头，我要多几个枕头……可是没等我把枕头拿来，她就断气了。满地是沾着血的卫生纸，妹妹被吓得呆若木鸡。望着母亲发白的脸，我想，要是有枕头，她不会死。是的，我就是这样想的。

　　关于母亲通奸得报应的传闻流传。我很绝望。我家没有钱，现在连名誉也没有了。我想，我妈是好人。但她没有好结果。她为什么要发生那件事呢？我父亲告诉我，我的学费实际上都是那个男人给的钱。我母亲的所有愿望都在于让我读书，为此她可以采取任何方法。可是母亲在这件事上留下的伤在我心上，这是读多少书都无法弥补的。最后我还是没有读成书，一半原因是因为我不再有学费，一半原因是因为母亲受尽屈辱为我赚学费，我对读书这件事有了一种奇怪的仇恨。我在学校打架，把一个学生的手臂打脱臼，还用小刀剪了一个骂我的老师的衣服，我受到警告处分。

　　但另一件事使我永远不再进校门。我家从母亲死后，陷入一贫如洗的地步。因为欠杀猪税，村里把我们的宅基地和自留地算成承包用地收钱，我们都没法交，村长和村委就算借钱给我们还，以我们的地作抵押，两年后，我们的地就成了村里的了，在农村，这样的事很多。很多农民的土地就这样莫名其妙地消失了。

我没有活路，只好想别的办法。

我悄悄地跑到山上，偷砍了一棵树，想运到山下买钱，在李岭口被村长的表弟发现。在派出所里我被关了十天，出来就被学校开除了。罚款一百块钱交不起，又把我关了五天，还是交不起。我父亲去村长家给人跪，我很绝望。我决定跑。

我带上已成年的妹妹，她叫马春，我叫她春儿。我们用仅存的钱买了票坐车到了樟坂。那是一个很多人去打工的沿海城市。火车在山洞里经过，一会儿黑一会儿白。我望着田野，哭了。我看到好多农民在田里扒着，像虫子一样。可是他们能得到多少东西呢？生活不是这样的。我看过很多书，生活不是这样的。

我对妹妹说，我要带你见见世面。可是车还没到樟坂，就在吴州，我下错了车。我带妹妹进录像厅看了一场录像，是旧电影，日本的《华丽家族》。这场电影把我吓坏了，片子中豪华的生活对我震动好大，我突然变得没有志气起来。我这才知道生活可以过成这样。可是一想到我自己的日子，就毫无希望。我想，我就是有三条命，活三辈子，也过不上这样的日子。

那晚上，我喝了酒。我告诉你，我这人没读过多少书，但脑袋想得多。我的性格属于自闭的一类，容易走极端。我比任何人都好面子。我一想到迢迢无望的未来，就不想再活下去。我打算把手上的钱花光，然后结束。我喝了酒，带妹妹去下馆子。她从来没吃过这些菜，很兴奋。吃完菜，我给春儿找了一个旅馆睡觉，那是一个通铺，一个人十块钱。半夜，我一个人来到海边，准备结果自己。我不会游泳，所以很方便。

我下了水。我往海里走。可是一次一次被冲上来。我是内地人，不知道这就是涨潮。我以为老天不要我死。我湿漉漉地坐在沙滩上发抖。这时，我在沙滩上发现了一根腐烂了一半的香蕉，这是游玩的人丢在沙滩上的。我把腐烂的一头掰了，用海水洗了洗，吃了。真甜。

我突然想，有一天我的日子也一定会像这根香蕉一样甜。现在它丢在地上，但它还是很甜。我想到春儿，双手掩面哭了。我觉得我丢下她是可耻的。

我带春儿来到了樟坂，在红梅区的一个鞋厂找到了工作。我做的是切割牛皮的重活，春儿在缝制车间，我们做一种出口到国外的旅游鞋，是很出名的牌子。春儿一天能赚十四块钱，扣除福利费和住宿费就没多少了。我赚得多些，我算了一下，一年我能赚六千多块钱，扣除两千块生活费，医疗卫生费九百块，住宿费一千五百块，制衣费两百块，交通费八百块，一年也才能剩六百块钱。但总比待在家里强，在家里种地是要欠债的，打工至少还能剩钱。

但我没想到的是，春儿的活比我的活还累。我有体力，能应付重活。但春儿的活时间长，一天要做十个小时，有时厂里接了许多单子，就加班，一天做到十六小时，春儿为了赚钱忍下来了，但有的女工开始受不了了。她们从早上五点起床，六点开始干活，一直干到中午十二点，然后吃饭，两点又开始干活到六点，吃完晚饭八点接着干，一直做到深夜十二点。一天才十块钱加班费。

你要是嫌钱少，老板就让你立即走人，因为工人多得是，工厂外面有成堆的女工攥着铁门等着这个工作，你一走马上就有人从那个门口进来顶替你。我怕春儿受不了，让她别干了，她不肯。她说她要多赚些钱，回家把地赎回来。我听了很难过，到这时候她还忘不了地。

我说，我就是死在外面，也不想回去种地了。春儿说，要不她就赚了钱回去开服装店，她要学做衣服。我说，你怎么老想回去的事儿，我不打算回去了。

厂里有些女工开始不正常了。她们的劳动量已经超越妇女的生理极限，她们高度紧张，机器声不绝于耳。我看见春儿下了工走路摇摇晃晃，我跟她说话她像在做梦一样。她只说她想睡觉，什么话也不想说。

我到城里去运牛皮。等货的时候，我刚好站在一间肯德基门口，我突然闻到了一种我长这么大闻到的最香的气味，我才知道，这叫肯德基。我在书上读到过它，但今天我第一次闻到了它。

我按捺不住，慢慢地走进了餐厅。我无法描述世界上竟然会有这么香的东西。我走到柜台前，小姐要我点餐，我没有说话。但我看到了，一个套餐五十块钱。一块鸡七块钱。就是说，我妹妹工作一天，刚好能买两块鸡。

我离开了柜台，在一张椅子上坐了下来。我的对面，有一个人正在吃鸡。他吃完了，起身就走了。我看见他的餐盒里还有一块鸡翅。是整的。

我要说，我不是来讨饭的。我是来运牛皮的。我也不打算去捡人家的东西吃。但事实上我到最后还是很快地把那块鸡拿起来，塞进裤子口袋里。我不知道我为什么要这么做。

牛皮运到厂里，搬完牛皮，我躲在角落里很快地吃了那块鸡翅。我觉得一股香在我体内爆炸了。

我想，为什么他们能在那里吃鸡，一顿吃掉我们几天的工资，而我们这些人挣一点钱就要付出这么辛苦的劳动呢？我想，就是我们笨，挣不到那么多钱。

就在我吃完鸡翅，到水池洗手时，传来一声惨叫。一个女工因为受不了苦活，精神错乱，从十楼跳了下来。我们围过去看时，我还看到她的右脚蹬了两下。她的鞋子飞出好远。

城　市

　　我们在这个城市干活，却来不及看看这个城市。我们从遥远的乡村来，城市对我们来说永远是神秘的。我们比另一些人幸运，毕竟找到了工作。我的同乡有的还在城市边缘流连，他们聚集在简易的破棚屋内，靠拾破烂为生。但工厂的工作繁重，已经开始伤害我们的身体。

　　春儿经常头痛，她说她的头像被两只手撑裂了一样。那天傍晚，我去接她，想一起到街上看看。她从大门里走出来，摇摇晃晃的，眼神是呆的。她说有人敲她的头，头要炸开了。说着就蹲下来，在地上吐了起来。

　　我赶忙带她到医疗室去看医生。医生检查了一下，说她没什么问题，是工作太劳累导致的精神紧张，以至于发生植物神经紊乱。她很紧张，问这病会不会死。医生说不会。春儿又问为什么会吐。医生说，跟晕车的道理一样。她就放心了。我感到她最近在心理上已经垮了，老是想病和死的事情。

可是没过几天，她就晕倒在车间。我赶过去，看见她不省人事躺在地上。我吓坏了，背她到医疗室，医生给她注射了葡萄糖水，她就慢慢地苏醒过来。

医生说，她这是休克。我问为什么她老是这样？医生说，看来她有低血糖的毛病。我说，她过去可不这样。医生想了想，说，她太累了。工厂的工作已经超出了负荷。

我想，她不能在厂子里再干下去。我得帮她另找个地方。

第二天，春儿又晕倒了。我只好让她待在宿舍里。我去找工头，说她干不了了，要辞工。工头说好啊，可是你这样炒我们鱿鱼，我们不能付她全额工资。我说这算怎么回事啊。工头说这是规矩。他七除八扣，总有他的道理，拿到钱的时候，我算了一下，等于加班的活全白干了，她只拿到了正常上班的工钱。

我很生气。春儿拿着钱就哭。我又回工厂找那工头讲道理。他说没道理好讲，这是规定。我火了，跟他吵了起来。我说你们不是不缺人吗？你们马上就可以找到工人，有什么损失？他说他必须为培训工人付出代价。

我说不行，我们拼死拼活，拿的钱太少。

他笑了，说，你们这些农村人怎么还不知足，你们在家赚多少钱？中国什么都贵，就是力气不贵，人不贵，明白吗？

他让我出去。我说你们太不讲理。他说这里不讲道理，只讲法则。他叫了保安要撵我出去，用手狠狠推我。我和保安打了起来，两个保安都被我撂倒在地上。我对工头说，我不想打人，求你多给我们一点工钱，因为我们是干了活的。他说扣除了各项应扣除的款项就剩这么多钱。我闹不明白为什么会有这么多莫名其妙的扣款，我只认我们干了多少天，就要拿多少钱。工头开始大骂我，在保安的帮助下，他用手推我，我倒在地上。他把脚踩在我身上，让我滚蛋。我和他扭打起来。

我终于忍不住了，揍了他几拳。马上有更多的拳头落到我身上。我被他们拖到一间黑屋子里，那屋子没有窗户，什么也看不见。有几个人进来，给我穿了一件像薄羽绒服一样的东西，然后拳头就像雨点一样落到我身上，我痛得满地打滚，哇哇大叫。我觉得打到我身上的还有皮鞋和棍子。打我的太约有七八个人，全都看不到脸。

他们问我还要不要工钱。我说要。他们又开始打我，我痛得好像骨头一根一根断了。他们打累了，又问我，敢不敢打工头，我说，不是我要打他，我只是来讨工钱。他们说，看来你很经打。又开始打我。这回把我扔来扔去，我在墙上撞来撞去。我昏过去了。

我醒来的时候，发现自己被拖到了操场上。这是一个废弃的操场。那几个人脱掉了我的羽绒服，察看我身上有没有伤口。我这才知道他们给我穿羽绒服的原因，是为了打我的时候不在我的身上留下伤痕。他们很成功，我的身上没有伤痕，连淤青也没有。他们很高兴。其中一个长脸的家伙问我服不服？我说服什么？他笑了，你这小子到现在还不知道服什么？我说我要我的工钱。他说你他妈的要是明白，你就赶紧滚蛋。

他们扒光了我身上的钱，连同春儿的工钱。把我装上车，载到离工厂几里外的荒地上扔下车，警告我再胡来就取掉我的肋骨。

车走了。我一瘸一拐地走回工厂。工厂不让我进去。我就把门卫打倒在地。我见到了春儿，她背着一个马桶包蹲在地上哭，看见我就扑上来，我们抱头痛哭。

我让她赶紧走，到车站等我。我一个人跑到办公区的大楼里，奔上四楼，我知道那里住着黑心厂长。可是我马上被人认出来了。我连厂长的面也没见着，又被七八个保安架下来。

他们又把我拖到旧操场里，那个长脸的家伙开始狠狠骂我，另外的几个人给我穿上羽绒衣，把我吊在篮球架上，你一拳我一腿打了我半小时。他们笑着，像开玩笑似的打我，因为我挂得高，他们就像扣篮一样跳起来打我，又有点像打排球。有一拳打在我背中央，我头一晕，一口吐了出来。我想，这一拳把我打伤了，我觉得整个心都飞出来了。

你要是不相信会发生这样的事，说明你不了解人生。我过去也只从小人书上看到这种折磨人的事。但是现在有人为了钱的关系仍然会这样作恶。每个时代都有好人，也有坏人。

他们弄了一份东西要我签字。我看了一下，是一份了结书。大约意思就是我被开除了，我寻衅闹事，他们本来要追究我的刑事责任，现在算了。但我和我妹妹的工钱全部充当了保安和工头的医疗费。就是说，我和我妹妹都白干了一场。

我不干。我要我的工钱。那个长脸的人说，你这个家伙很奇怪啊。另一个人说，他叫不怕打，打不怕，怕不打。长脸说，那就给他厉害瞧。

我人生中最可怕的一幕出现。我被他们塞进了一只铁笼子里，这是一只关狗的笼子，里面就有一条黑背狼狗。我吓坏了，大喊大叫。我很怕狗，因为我小时候被狗咬过小腿肚子，所以我不养狗。我死死地抓住铁门不进去。他们就把我的手指掰弯，硬把我塞进去。

我吓得面如土色。那条狼狗和我关在一起，它发出低沉的呼噜呼噜的声音，嘴上的肉翻起来，露出全部牙齿。我吓得一动也不敢动。我感觉到我身上有像水一样的东西流下来，越来越多。我知道那是汗，但不像是汗，它像水一样，把我的衣服全浸透了。

我不怕打架，但是我怕狗。我开始颤抖。那条狗看我不动，上来嗅我的衣服，我吓得瘫软，晕过去了。

我醒来的时候，那条狗还跟我关在一起，它在舔我的阴茎。我吓得大叫，它就扑上来，在我的手臂上咬了一口，然后不停地叫。我的手臂拉出了一道一指长的口子。我用衣服包住它。我痛哭流涕，我太恐惧了。就在那一刹那，我觉得人生毫无意义。

他们就这样把我跟狗关在狗笼子里达八个小时。到夜里十二点的时候，那个长脸来问我，想不想工钱？我不吱声。他说，你被狗咬，我们可没责任，你打保安，闯大门，狗就会咬你，狗是守门的嘛。他劝我滚蛋了事，说，知道为什么这么收拾你吗？告诉你，要是随了你去要工钱，就坏了规矩了，所以必须得跟你过不去。你这小子脑子特不明白，你和你妹妹的身份证都押在老板这里，你还能到哪里去？我跟老板说了，放你生路，你不再要钱，就还给你身份证，滚蛋。

我奄奄一息地说，我不要钱了。

他说，好，还你身份证。

……我在车站找到了春儿，她还在那里等着。我抱住她就哭了。她也和我一起哭。

我们在车站附近逛了三天。找不到工。我又想到了死。我这人就是这样，跟别人不一样，所以磨难也特别多。我想了很多办法，比如带着妹妹跳楼，这可能会很难看。或者吃老鼠药算了，这种死法很便宜。但是我看过吃农药的人，躺在地上痛苦地打滚。

还有一种方法，就是往海里去。我去过一回，可是被推回来了。我想，这是老天爷不让我死。可是他既然不让我死，就得养活我啊。我现在的生活很悲惨，养活不了自己。我饿得发晕。我把弄来的东西都给春儿吃了。我觉得这种日子不过也罢。你知道吗？农村有这样一种人，就像我一样的人，心气儿很高，头脑也聪明，就是命不好。这种人成天想着自己的未来，想得很好，可是现实却差得很远。想久了心理就变态。我可能就是这样一类的人。我有自己的道德感，我从不多拿人家的东西。我也有爱心，如果我有很多钱，我一定不会独享，我会分给别人。可是我心中充满仇恨，因为那些有钱的黑心黑肺的人，他们连一块钱也不想分给我，可是那么多钱对他们有什么用？如果他们能分一点钱给我，我就不用去想自杀的事，我会帮他们干活。但我要得到跟我干的活平等的报酬，对，只要公正，我不想多拿一分钱。可是现在，我得不到公平。

春儿帮车站的快餐店洗碗，暂时为我们挣到一碗盒饭。但我很绝望，觉得没有前途。我说过我小时候有一个梦想，想当作家。因为我爱看书，我看了很多小说，就躺在河边望着天，想小说里的事情。我想，人是可以像小说里那样生活的。后来发生了母亲的事，我的理想受挫。在母亲死后我曾问过父亲，为什么会发生母亲那样的事情。父亲叹气，说为了活命呗。

我对这句话感到无比愤怒。这就是我的父亲和母亲，他们认为活命比尊严更重要。或者说，活着就是人生，活着是最大的任务，无论你用什么方式活着。很多中国人就是这样想的，只是不说出口。这群人里面包括我的母亲，这是无论如何让我不能容忍的。有一次，我骂母亲，叫她去死，被她打了一巴掌，说我不孝顺她。我记得很清楚。可是我跟他们不同，我不认为死有什么了不起，我不想活了就去死。

我真的来到海边。这时我看到了一个海边悬崖上的高台。我知道这是一个玩蹦极的地方，下面就是汹涌的海水。我想，从那个地方跳下来必死无疑，而且可以看看风景。

我慢慢爬上了高台。有几个人在那里玩。一个男人跳了下去，在空中大喊大叫，很恐惧的样子。我往下看了一眼，身体晃了一下。我的心抽紧了。

接着的一个女孩不想跳，在旁边吓哭了。朋友鼓励她，她就是不跳。我突然说，这有什么可怕的。

那女孩的朋友说，你是谁？你敢跳吗？

我说，没绳子我都敢跳。

他们哄堂大笑起来。

女孩说，那你跳，你不用付钱，我付钱，我不跳了，我那一份让你跳。

我说，我不要绳子，你能给我多少钱？

女孩的朋友说，真的吗？你小子别胡说，我给你一千万，你从这里跳下去。

我说，可以。

他们望着我，不说话了。

我说，你们没有钱。你们才是胡说。

女孩说，别说无聊的了，我让给你跳，你不出钱，真的。

我想了想，说，好吧。

我想试一试死亡。就是这样。

我套上绳子。安全人员说，你要是害怕，你可以闭眼。

我说，不，我要睁着眼。

他要推我，我说你不要推我，我会下去。

我跳下去了。我的头好像被人撞了一下，海水扑面而来。我身体中所有的东西一下子全部涌到嘴里，好像马上要从这里喷出去。我的心仿佛在瞬间有了一个巨大的虚空，恐惧裹挟着黑暗铺天盖地而来。

我大喊一声，妈妈！我想，我死了。

落到小船上的时候，我像死了一样。船上的人以为我心脏病发作，给我往嘴里塞速效救心丸。实际上我不是被高度吓到。我看到了什么是死亡。

我知道了，如果有想自杀的人，让他在自杀前蹦一次极，他就再也不会自杀了。

我不自杀了。

上一次我不自杀，是因为在海边吃到半根香蕉。这一次我不自杀，是因为我从悬崖上摔下来。

我要香蕉。我想，我能得到那根香蕉。不是一半的，是一整根儿的。

我开始打零工。本来打算卖水果，但没有本钱，于是我开始挑着担子，走街串巷给人擦油烟机。

但没有好久，春儿出事了。她因为老是呕吐，被人怀疑有肝炎，不让在快餐店帮工了。有一天同乡小红来找她，后来一连好几天见不着她们。听说小红帮她找到了一个工作。五天后我才见到春儿，我问她到哪里去了。她说她在桑拿帮忙，我说你怎么能到那种地方去呢。她说她没做什么，她就是端茶。

春儿骗了我。同乡老六告诉我，桑拿里边是有端茶的活儿，可不可能让刚去的人干，你妹妹肯定干了见不得人的事不告诉你。我撂下挑子就往那家桑拿里冲。里面的人以为我要洗澡。我愣往里冲，要找春儿。领班的说没这个人。我指着墙上的照片说，就是这个。他说，这是燕子，她在六号房上钟，你要能等你就等，等不了我给你喊别的小姐。

我什么都明白了。我冲到六号包厢，撞开门，看见了春儿。我看到了让我最恶心和悲哀的一幕：我亲爱的妹妹，正用一条毛巾给一个男人手淫。

春儿看见我的时候，呆在那里不会动了。我狠狠地揍了她一个耳光，把她扛在肩上冲出了大门。

我狠狠地打了她一顿。春儿不说话，一直哭。我心里真悲哀，母亲那一幕浮现。有其母必有其女。我是这么想的，她们全都一样。春儿说，不是她想干的，是他们逼的。我不相信。她又哭着说，我不想回工厂去了，我累死了，我死也不回去。

我突然间产生一种强烈的自卑。我没有尽到责任。我是哥哥，却没有办法让她找到一个好工作。我说，春儿，你听着，哥哥一定会让你过上好日子。你要答应我，如果你以后再进那种地方，我就杀了你，扔到海里去。

春儿说，我当保姆去。

我说，对啊，这不是好工作吗？我们好好的靠双手挣钱，不好吗。

我们来到保姆市场。场内要花一块钱，我们就在场外找东家。问的人倒挺多，但没有一个人真正相中春儿的。我们去了三天，都没有结果。

一个老女人悄悄对我们说，你们还瞎等什么呢？她没有人要的。

我问为什么呀？

她说，姑娘太俊了，太俊了反而没人要，不是嫌她不会干活，就是女主人不同意，男人哪敢往家带？哪家的女人会让丈夫带回这么漂亮的一个保姆呀。

想不到会是这样。春儿长得跟母亲一样。命运也一样。可能连性情也一样。想到这个我很烦恼。

春儿看着我，不吭声。后来蹲在地上哭了。

她说哥哥是不是看不起我？我说现在你还有心思哭。她说我跟妈妈不是一样的，你不要看不起我。

我说我也没有看不起妈妈啊。

她说你就是看不起她。我跟她不一样，我不想去的，是他们逼我的。他们让我在桑拿住了几天，就说我欠住宿费，逼我上钟。

我说，你别说了，好不好？

她坐在地上不起来。一直哭。她说她不想给哥哥丢脸。我叹气。我想，母亲也是一样的，没有几个女人天生要这样做，母亲太漂亮，别人就打她的主意，逼她，她就屈服了。就是这样。春儿肯定也是这样。可是我不能容忍，我认为女人到了这时候，应该去死，也不能屈服。我要是女人，我就去死。母亲没有死，她选择活了下来，用另一个男人的钱交我的学费，可是我没学到任何东西。除了仇恨。

春儿说，我想多挣些钱，给你做本钱。

我的眼泪流下来。

春儿没有读过书，我知道她找不到工作。可是为什么我们读不到书呢？我们没有这样的权利吗？是的，我们没有这样的权利。在我们家乡，女孩是很少读书的，现在还是一样。没有知识，她们只有最后的本钱：身体。

但我摇晃着春儿的肩膀，说，告诉你，无论如何，你不能再去那种地方，死也不能去！如果你活不下去，就去死！怎么死都行，知道吗？

她被吓坏了，连连点头说，我不去，不去！

我怕她再出事，把她关在家里，不让她找工作。我们住在城北的简易屋里。我靠洗油烟机可以让我们吃上饭。但我发誓要挣大钱，我想我会实现的。我尝过香蕉的滋味。

可是命运比我更坚强。一天傍晚我回到城北，看见了一幅让我震惊的画面：城管队员正在清理简易屋，到处烟尘滚滚，他们把一些拆下来的东西点火燃烧，黑烟蔽日。

我找不到春儿。居民楼那边的好心人悄悄对我说，你还不快走？那些人都被收容了。

我赶紧闯进小巷子跑了。

在车站我遇见了老六。他也是跑出来的。我问他有没有看到春儿，他说他看到她上车的，她被收容了。我要去收容所找她。老六说你这不是自投罗网吗？他读到高中，好像比我有知识。我说我要去。老六说，那我跟你去，你不要捅娄子。

收容所的门关着，我们进不去。我就往里瞧，还是看不见。我爬到围墙外的一棵柿子树上，看见里面没有多少人。我没有看到春儿。

老六说你别再看，要不把你也收容了。你要是也进去了，春儿就更出不来了。你要去挣点钱，听说塞钱可以放人的。你也可以去买张暂住证。

我没有暂住证。我不是这个城市的人。

心　脏

一连五天我都找不到春儿，我不敢到收容所问，总爬到树上去看，收容所里没有动静。第六天，老六花了钱把他表弟张德彪弄出来，我才得到春儿的消息。

张德彪说，他也是听女宿舍那边出来的人说的，女人被收容后，会出事。她们出去得早，大家都不知道她们去了哪里。后来才知道她们去卖淫了。

我说，她们怎么会去卖淫呢？

张德彪说，你咋那么傻呢？逼的呗。谁还自己送上去不成？

我说，她们不是被收容了吗？收容所应该管饭哪。

张德彪双手一摊，是管饭哪，但得干活啊，世界上有白吃的大饼吗？我们号里的人去扛大活，水泥，知道吗？男人干体力活，女人没力气，你说，她们除了干这个，还能干吗？

我推了他一下，你说了半天，都说些什么啊？直说了吧。

老六也嚷，直说呗，操。

张德彪小声说，这一次狠了，收容所把人往按摩院赶，年轻的都去了，听说去了二十多个呢。

老六张着嘴，啊？收容所干这事儿，我不相信。

张德彪摆手，我也是听说的，不是我说的，啊，我什么也没说。

说完他要走。我拉住他问，有春儿的消息吗？

他摇头。我是听说的。她们弄到哪里去了，我怎么知道。

我说，我要找到她。

老六说，这么大一个城市，你到哪儿找？

我说，我要去按摩院和舞厅找。

张德彪笑了，这城里那么多按摩院，你找得完吗？

我的手握紧了，我听到了手指头咔咔的声音。我说，我要找遍全城，我找一家按摩院，就会少一家按摩院，我找一家舞厅，就少一家舞厅，我要一直找下去，找到我死，我一定会把她找到。

张德彪和老六看着我，没有说话。

……我开始一家一家按摩院去找，我去了三十几家，还是没有春儿的消息，我倒挨了几顿揍。在一家叫清水湾的按摩院，我好像看见春儿在那里，我要他们让我一间一间看，他们骂我是神经病。我很生气，他们城里人凭什么动不动就骂我们是疯子，我们全身上下哪里疯了，为什么我们总是被看成疯子。我和那个保安打起来，那人是练过武的，他把我打得趴在地上动不了，我觉得脑浆都要流出来了。

后来有一个看车的好心人，托熟人帮我到按摩院里面偷偷打听了一下，春儿不在那里。我白挨了一顿揍。

我们农村人，无论怎么打扮，还是看得出来不是这个城市的人。他们就凭这身衣服欺负我们。我到城里来是没有办法，我家的地被债主夺走了，我没有地，我在家只有饿肚子，债只会越欠越多，只好到城里来。我来城市是为了挣钱还债，可还是没有我们的活路。我蹲在路灯下，想到这些，很伤心。可是没有办法，没人可以帮到我们。

我没钱了。但我从来不做偷鸡摸狗的事，这是我做人的原则。我和他们认为的乡下人不同，我是有文化的。我没读多少书，但是我看书，我看书比读书的人还多，我是有文化的。我知道偷东西是罪。我看过书上写的孔乙己，他说偷书不算偷，我还认为是偷，只要你白拿了别人的东西，就是偷。可是现在我口袋里一分钱也没有了，我的肚子咕咕乱吼。我重新弄一副挑子，一边洗油烟机一边找春儿。三个月过去，还是没有她的音讯。

一天老六来告诉我，说他有个朋友在三水KTV里边看见了春儿。这个朋友在KTV里边当清洁工。我一听撂下挑子就走。

在三水我见到了老六的朋友。他告诉我春儿在这里已经好几个月了。刚来的时候，她想跑。老板派人看住她。她从窗台上跳下去，差点把腿跌断。后来她就不跑了。

我见到春儿的时候，她扭头就往回跑。我就追。我拉住她往外走，一直走到大门口。老六的朋友对我说，你别骂她，她是被逼的。

春儿被我拉到河边。她什么话也不说，放声大哭，我也放声大哭。我哭完了，她还在哭。我说你倒是说句话啊。她还是哭，哭得全身发抖。

我说，哥不怪你，你倒是吭一声啊。

她还是哭，哭到后来突然晕过去了。我吓坏了，掐了半天人中，她才醒过来。

她紧紧地抱住我，死也不撒手。

我流泪了。我说春儿，你一定受委屈了，可你得说话啊。

她还是不说话。手就像铁条一样抠着我。

我只好把她带回老六住的地方，我也借住在那里。老六和张德彪见我找着了春儿，都很高兴。他们去买了点肉，说要给春儿压压惊。

晚饭做好的时候，春儿睡着了。她连饭也不想吃就睡着了。老六让我不要弄醒她，就让她好好睡吧。

我们三个大老爷们吃饭，老六弄了几两米烧，我们喝着。我喝着喝着就流下泪来。

张德彪说，春儿总算回来了。你别哭了。

老六说，木生，春儿她不想说，我看你就别问了。你老问她那些事儿，不是给她添堵吗？让她怎么说呢。

我擦了眼泪，说，收容所怎么能做这种事儿呢。

张德彪说，告他！

老六说，你怎么告呢？打官司要钱的。再者说了，老百姓告政府，这算哪门子官司呢。你告也白告。

张德彪把筷子一放，告不倒也告，出口气呗，操他的！

老六喝一口，你就等着白花钱吧。

我没吱声。我想，我就是当掉裤子，也要告倒他们。

春儿好像一睡不醒，她不吃不喝，一连睡了两天。我吓着了，以为她死了。

第三天，她醒来了。她醒来后，老六给她做了面条，她一连吃了三大碗。

老六暗示我不要问她的事。可是吃完面，春儿说，哥，我卖身了。

说完就放声大哭。

春儿把她这几个月经过的事全说出来了。我这才知道，她在进收容所的第二天，就被强暴了。她被关进了一间单间，不多久就有一个人进来，把她弄了。她拼了命地喊，可是好像没人听见。那人把她绑在床上，强暴了她。

接着又有一个人进来，继续强暴她。

又进来第三个。她已经喊不出声来了。

第四个人帮她解下了绳子，让她别喊，喊也没用。这第四个人坐在床边看了她一会儿，还是把她弄了。

进来第五个。春儿就给他跪下来，求他放了她。那个人看了她一会儿，说，你流血了。

他走了。

春儿昏死过去了。后来她被领出单间，来到一个大间，里面住着四十几号人。她不知道进来强奸她的人是些什么人，他们怎么能进得了房间。

后来她才知道，这一次收容的女人，有四五个被轮奸。她是第一个，因为长得漂亮。

一个星期后，她们当中有二十几个人被车载出收容所。春儿和另一个叫刘婷的被送到三水KTV。

刚到的那天，她们得到了好的招待，吃到了鸡。给她们吃鸡就是要她们做鸡，这是有暗示的。老板让她们签一个合同，她们不签。老板说，很多乡下姑娘自己到这里来找工作还找不到，你们很幸运。她们还是不吱声。老板说，你们不会想一想，这跟在收容所发生的事，还不是一样？都已经这样了，你们还犟什么犟？在这里你们还可以挣钱。

春儿咬着嘴唇不说话。

老板说，你们算是什么人？为什么你们被收容？还不明白吗？你们是农村人，不是这个城市的人，这不是你们的地方。我收留你们，你们应该感谢我，我可以放你们走，你们走到街上试试看，不到三天，你们又进收容所。暂住证你们又不办，你们这些人在外面没法待，还不明白吗？这里能挣大把的钱，我又会保护你们，好像有身份的人一样。

刘婷哭了半天，签了字。

春儿不签字。后来她在一个包厢再次遭到强暴。这一回是恶棍老板。她昏过去了。

她醒过来后，老板给了她一个戒指。

在她睡着的时候，她的手印已经印在合同上。后来春儿才知道，她们这些从收容所里来的人，合同比自愿来的姑娘条件苛刻得多。但合同已经签了，就没办法了。

……我听完了，身体一个劲儿出汗。老六摁住我，要我冷静。

张德彪说，春儿，你把那个戒指拿出来，我们可以把它当了换钱打官司啊。

春儿把戒指拿出来。我一看，白闪闪的。

春儿说，他告诉我是钻石的。

我立即拿了戒指到首饰店换钱。首饰店的老板瞄了一眼就扔回给我，说，这是假钻。

我说，那这戒指呢？是白金的吧。

老板说，这是镀的，你什么眼神呢。这玩意儿顶多值个十来块钱吧。

我气得把它扔在地上，狠狠地踹上几脚。

春儿在店里卖身，还没有结算就跑出来，一个钱也没拿着。张德彪说不如回去跟他们结算以后再逃出来，这样就可以拿到钱了。春儿吓得当场全身发抖，像打摆子一样。我从来没有看到她这样，好像生了很重的病。

你胡说八道什么啊。我揍了张德彪一拳。

那天晚上，我没睡觉。一个人走到水渠边，蹲在那里。我觉得有些人是很恶的，像那个KTV老板，操了人还要给戒指骗人，这些人丧尽天良。

第二天，我到派出所报案，我把情况都说了。派出所的人好像很吃惊。他记下了我的名字。

我一连五天天天去派出所，他们都说在查，可是没有任何说法。我说你们怎么还没结果呢。他们说，你们乡下人真是不懂事啊，查案子有这么快的吗？

我认为他们是在敷衍我。老六说，看来德彪说得对，得上告。

张德彪说，没有钱你告个屁。

我说，好像有打官司不要钱的，叫法律援助。

老六说，这倒是个好办法。

我找到了一家律师事务所的地址。我对春儿说，我现在给你打官司，你要把你看见的事都说出来。就是收容所的事，还有KTV的事。

春儿说，收容所的事我说，我不想说KTV的事。

我说，那不行，KTV的事也得说。

春儿说，我不想说。

我生气了，你不想说我怎么给你伸冤呢？你怎么这么不懂事儿呢？

我拉着她就走。

我们上了大街。我心里充满愤怒。我不相信在这阳光灿烂的地上，讨不到一个说法。

可就在这个时候，一件我意想不到的事情发生了。

一辆轿车从我们后面撞上来，把春儿撞倒在地。我看见春儿从我手中挣脱，突然间消失了，我这才知道她被撞到了车下面。司机探出头来，他的嘴里喷出长长的酒气。我大喊大叫，撞人了，撞人了。

司机立即把头缩回去。他居然把车发动要跑。

我大叫，人在车底下呢！你还跑！

车动了。我拉住车尾的天线大喊，你不能动，我妹还在车底下，你要把她拖死吗？

车还是动了，我只看到春儿的一双脚，她的衣服肯定挂在底盘上了，车向前蹿，她的鞋掉了，就这样一路拖过去。

我的头一下子好像裂开了。我猛追那车，拼命呼救。车却越开越快，我看见一条血迹从车底拖出来。

血迹越来越粗。突然一声巨响，春儿从车底下被摔出来，车一溜烟开没了。

我冲到春儿面前，她已经成了一个血人，眼睛睁得很大，瞪着我，在大口大口喘气儿。我抱起她的时候，她的胸脯把我吓坏了：整个左乳房翻起来，我看见了一个洞，血从那个洞里涌出来。从那个洞里，我居然看到了平生最不可思议的东西：心脏。

我无法描述看到我妹妹心脏时的感觉。我看到了，是心脏。我看到了它的跳动，它跳一下血就喷一下。我甚至看到了心脏上面包着一层黄油。我从来没想到人的心脏旁边有一些黄油。

周围的人聚集上来。

我把衣服脱下来，堵住那个洞。我拦出租车，有几辆车被血吓到，不肯停。后来有一辆出租车停下来，我把春儿抱上车，我让司机开到最近的医院。一刹那间，我想到这世界上还是有好人。

血把车染红了。我大声叫着春儿的名字。她奇怪地瞪着我，嘴越张越大，好像要把全世界的空气吸光。

我赶到医院，司机不收我的钱，还帮我把春儿抬进去。急诊室正在抢救另一个人，我们挤不进去。医生叫我先去交押金，我说我没有钱，他还是叫我交押金。

司机揭开盖在春儿胸前的衣服说，胸口都开了大洞了，快抢救吧，还交押金，你们有没有人性啊！

医生看了一眼，说，你对我嚷什么嚷？都是要救命的，快先进来吧。

我把春儿抱进去，放在床上。我看见她的脸越来越白，嘴唇乌紫。她不再那样喘气了。我大声叫她的名字，她也不像刚才那样瞪着我，眼神是涣散的，全身慢慢像一条鱼那样软下去。

那个洞里的心脏越跳越微弱。我看得明白，我知道完了。我重新抱起她，哭着说，春儿，你要挺住啊，你要挺住啊。

医生过来接管子的时候，心脏已经不跳了。医生用电棍击它，还是没用。我就这样看着春儿的脸完全惨白，眼珠子不动了，心脏也不动了，气不喘了。死了。

但她的手还是热的。非常热。甚至有些滚烫。我紧紧地握住她的手。

医生说，没有办法，失血太多。

太约过了有半个小时，等她送到太平间的时候，春儿的手还是热的，只是没刚才那么热了。我才知道，人身上的热是慢慢褪的。

很奇怪，春儿闭眼后，我一直没有哭。我呆在那里，看工人给她处理身体，血水流了一地。我想起了过去在乡下看过的杀猪的画面，也是这样，血水流了一地。我不知道为什么突然会想起这种画面，好像是对春儿的不敬。但它们真的很像。

是的。其实对于我们这些人来说，真的没什么不同。猪只想弄口吃的，我们也只想弄口吃的，一样。想到这里，我放声大哭，握起春儿的手。这时候，我感到她的手凉了，像一块冰一样。

五天后，父亲来了。他没有见到春儿的面。因为停尸间要收钱，冷柜也要收钱，我没有钱，医院就免收，但让我尽快火化。我只好赶快处理。我在车祸现场贴了一张求助信，路人给我捐助了一些钱，那个好心的司机出了一些钱，刚够火化春儿的费用。

我没有记住那辆肇事车的车牌，警察问了当时的目击者，都说没看清楚车牌。

警察告诉我，他们要好好查一查。有结果再通知我。

在老六房门口，父亲捧着骨灰盒，一直哭。他骂我没照顾好春儿。我青着脸没吱声。父亲手发抖，骨灰盒掉在地上，这是最便宜的骨灰坛子，摔在地上就碎了，春儿的骨灰撒在地上。

我在外边的地上找了一个装饮料的纸箱子，和父亲一起从地上把春儿的骨灰撮起来。她的骨灰和泥土混在一起，我分都分不开。我的泪水滴在骨灰里。

父亲说，别分了，人从土里来，回到土里去。

我跟父亲说，你也别回去了，家里也没人了，你就留下来，跟我在一起。我要报仇。

老六叹了一口气，你跟谁报仇啊？谁啊。

张德彪说，城里人怎么那么狠呢？人都挂上了拖那么老远，一头大象也拖死了。

老六说，城里也有好心人，那个司机不是？是我们乡下人，命不值钱。拖死一个是一个，拖死俩算一双。

那个晚上，我做了一件事情。我拎了一把钳子，一个人来到路边的电线杆下面，我要剪断电线。我剪断了电线，就会停电。可是我站在电线杆子底下时，又犹豫了。我想，我不应该这么做的。我如果剪断了电线，那个帮助我的出租车司机，还有捐钱给我的那些人，家里也可能会停电。我不知道谁是我的仇人，谁是我的朋友。

老六知道我想剪电线，说，你真是笨到家了，没人是你的仇人，是我们命不好，谁叫你是乡下人呢？你说，医生是你的仇人吗？那个轧你妹妹的人是吗？他害怕，还不得跑吗？轧了人谁不害怕呢？没有仇人。

我说，强暴春儿的人，个个是我的仇人。

老六说，警察不是在查吗？

我说，我等不及。

张德彪说，你别告了，慢，还花钱，而且准得输，你不如上访好了。

我听了张德彪的意见，决定上访。我写了好多状子，告收容所。我跑遍了公安局，信访办，政府，法院，检察院，人大，民政局，妇联，报社……很多地方都接了我们的状子，但都没有回音。

我有一种非常不祥的预感。

后来我发现有人跟踪我们。我加入了在城西头的信访村。这里有好几排简易房，有好几百人住在这里，他们都是专门来上访的专业上访户。我和父亲就在这里住下。他们告诉我，上访能不能得到的回音是说不准的，得看这案子的性质。我听了很失望。我是个悲观主义者。老六和张德彪也搬来这里住，因为这里便宜。

我和父亲开始了漫长的上访生涯。我们卖过水果，和老六收过废品，跟张德彪干过泥水，我还在旧货市场扛过家具，为的是挣一点钱维持生活。我发誓要为春儿报仇，因为我看见了她的心脏，看到它如何慢慢停止跳动。

消　失

　　我们家经受了许多的苦难，不是说所有苦难都堆到我们头上，而是有一根链条，把我们的命运锁在上面。苦难就像结在上面的果子，随着时间的推移，一个比一个更大。

　　我和父亲上访了几个月。我把我要说的事都写了下来，一共写了五副状子。我和父亲来到市信访办，把事情一说。那个接待我们的人是一个中年人，有四十六七的样子，没有什么表情。人太多了，他很忙，一个接一个很快地登记处理。他说，你们把材料留下。我问什么时候有答复，他说，我们会尽快处理。

　　我们把状子递到公安局的时候，情况有所变化。他们很仔细地登记了我和我父亲的名字和事由，态度很和蔼。其中一个警察要我把收容所的事情好好再描述一下，我就从头到尾说了一遍，把我妹妹的遭遇直到她死，都说了一遍。

　　警察说，她的死跟收容所没关系，是车祸。

　　我说，她是被收容所害死的。

警察说，我们不要轻易下这样的结论，我们慢慢查。

我说，你们可不能慢慢查，我等不了了，我要个说法。

警察看了我一眼，说，我说错了，我是说，我们会好好查。

……走出来的时候，父亲说，他们会把这事儿办了吗？

我说，我不知道。

我们于是开始等待。过了十天，有人找我们去更详细地讲述情况，并安慰我们，说只要是事实，一定会查清的。可是一个月过去，没有任何消息，再也没人来找我们了。我和父亲又去信访办打听。信访办换了一个女的，见到我们时有笑脸。但她说现在上访很多，案子都查不过来，不是不查，得花时间。我让她查对了一下，她说已经转到公安局了。反正没有消息。我很失望。

我们再去公安局问的时候，见到了上次接待我们的那个人，他认出了我们，这次对我们不一样。他说，根本没有我们所说的事，全是瞎说。

我说，我们没有瞎说，我可以找人来作证。

他问，你找谁呢？

我说，一起被收容的人。

警察说，你找的人说话不算数。

我说，你们再查一查。

警察手一摆，说，查过了嘛，没有。没有这回事。

我说，不可能，我妹妹亲口对我说的。

警察说，那叫你妹妹来说。

他明知道我妹妹死了，还这样说。我很生气，我说，你们这些人太可恶了，不管我们的死活。

警察瞪着我，你怎么说话的？啊？我告诉你，不是事实的，就是诬告。你现在就在诬告，不治你的罪就算放你一马了，我们查过了，没这回事。

我想了想，说，好吧。我们试试看。

警察听了一愣，就从门里走出来，看着我的脸，说，你说什么，你试试？你要试什么？

我不吱声。父亲拖着我走，走吧，走吧。

我低声说，我试一下，有没有公道。

警察不说话，而是很仔细地看了我的脸一会儿，什么也没说，回办公室了。

我父亲拉着我迅速离开了公安局。

第二天早上，我去南区收破烂。我在垃圾堆里整理一只旧洗衣机的时候，突然有几个人从旁边的巷子里蹿出来，把我摁倒在地上。我的手被他们反拧到背后，痛得我眼冒金星。

我大叫，你们干吗打我？

其中一个人说，你看看我们是谁？

我一看，是五六个穿警察衣服的人。我说，我没偷东西。

他说，没偷东西？这洗衣机怎么回事？

我说，我是收破烂的，这是破烂。

警察说，你们这些乡下来的四川工，左手刚偷东西，右手就扔掉抵赖。

我喊，我不是四川人，我是江西的。

他说，反正都一样。

我说，我没偷东西。

他说，人赃俱获，还嘴硬。铐上，带回去。

我被带回派出所，铐在楼梯上。他们把我反铐着，所以我的手钻心地痛。我大喊大叫，说我没有偷东西。但是他们进进出出，没有一个理我，连看都不看我一眼。

当晚，我被关进了一间叫留置室的房间。里面有三个人。他们看我的眼神都不对。我问他们是哪里的？为什么进来？一个黑脸问，你为什么进来？我说，我没犯罪。他们就笑起来，说，没有罪会把你抓进来吗？我说我没偷东西。他说，哦，你偷东西。

傍晚警察下班了。我的厄运才开始来临。周围静悄悄的，我预感到一种不祥的气氛。黑脸说，我们这里有一个规矩，刚进来的人要做马步。

我问，什么叫做马步？

他就做了一个马步给我看。就这样，很容易。

我说，为什么要这样？

他说，规矩。

我知道监狱里都有规矩，没办法，只好做了马步。我想，这倒不难。

我问，要做多久？

黑脸说，我让你起来你才起来。

我知道他是牢头了。我就做马步站在那里。

后来我才知道，这看似轻松的马步是最残酷的刑罚。只要你蹲上十分钟，腰就开始酸，然后是背，然后是脖子。最后，我受不了了，一屁股坐在地上。

情况完全变了。我屁股刚着地。那三个人都醒过来，好像约好似的。他们冲上来把我摁倒在地上，一顿暴打。

我感觉不到痛，只是透不过气来。我现在才知道，人遭受很激烈的殴打时，是感觉不到痛的，只是呼吸困难。尤其是拳头打到我的后背和后脖梗子时，我好像要死了，因为我胸闷得几乎要断气了。我的全身酸得要一块块迸裂开去。

我在地上昏死过去。

到我醒来的时候，模模糊糊地感觉有人在拉我的手，好像在用我的手指摁手印。这是我事后回忆的，当时我还是意识模糊。

我真正醒来的时候，留置室里没有人，那三个犯人不见了。这时，一个警察走进来。

我虚弱地说，他们……打我。

警察说，谁叫你偷东西。

我说，我没有……偷东西。我从来没偷过……人家的东西。

警察说，我们对初犯的处理是很宽大的，你是初犯，我们以教育为主，我们放你出去，以后不要偷东西了。

我说，我没有偷。可是他们打我了。

警察说，又不是我们打你的。打你的人我们处理了，你看，我们把他们送到看守所里去了。

我站起来，摇摇晃晃的，差一点栽到墙上。

我说，我不出去，为什么打我，抓我？

警察凑上来，说，你真的那么没脑子吗？啊？他用手指敲我的脑袋，说，你没犯罪，怎么会抓你？想想？嗯，想想，公安局是随便抓人的吗？你什么脑子，还想不明白吗？

我没吱声。

他说，走吧，回家去。没想明白，回家再想。

我走出公安局大门，阳光照得我睁不开眼。我在地上蹲了下来，抱着脑袋想。他们为什么抓我，又为什么放我？

我回到上访村，听父亲说了一个让人吃惊的消息，老六也被收容所收容了。

我问为什么只收容他啊？

父亲说不知道。

后来张德彪来了，他说，你被抓了是不是？你还不知道啊？你怎么那么笨呢？抓你一个，还带上警告我表哥，明摆着让你们刹车了呗，木生，你要惹祸了。

我才恍然大悟。父亲说，咱们不上访了，回家，咱惹不起还躲不起吗？

我火了，骂他没心肝。我说，你这么快就忘了春儿怎么死的吗？你这个老东西！

父亲不敢说话了。张德彪说，你别骂你爹，他还真说得有理，你上访一年也没用。

十天后，老六放出来了。他这回没受苦，也没交钱，就是关了十天，还管饭。他说，我一进去就知道是为你们的事吓我的。

我问里面怎么样？

老六说，很好啊，管饭，还发水果。我没见过打人，也没听说强奸的事。

张德彪笑了，你上访吧，上访个屁，人家是文明收容所。这不，全让人看见了。

我说，春儿不会骗人的。

老六叹了口气，说，木生，真的，你别上访了，我觉得这事闹大了。

我问，你是不是怕把你牵连进去。

老六说，这倒不是，我们是兄弟嘛，说这些干吗……但我看呢，你这官司永远赢不了了。

我说，我就是打到死，也要赢这官司。

老六说：你这马木生，怎么这么倔呢？

张德彪对我说，你们得防着点，我看，你们得搞张暂住证。可别像我表哥这样，让人抓到把柄。我表哥是代人受过，几天就放人，要是抓你们，我看半年都出不来。

我说，我没钱搞暂住证。

张德彪迟疑了一下，说，帮人帮到底吧，你们也不容易，人我这里出，钱老六帮着出，我有一个派出所的关系，是联防队员，可以很快搞到暂住证。

我说好吧。果然不到两天，暂住证搞到了。

可是我继续递状子，这回是往人大。人大也接了状子，他们表示要认真处理。

十四日晚上，灾难终于来临。我们的门半夜被敲开，几个警察走进来，要查暂住证。

我知道他们终于来了。我赶紧说，我们有暂住证。

我把两张暂住证递上，那个警察看我们有证，笑了一下，说，我看看，你们的暂住证。

他看了一眼，突然伸手就撕了。

我大惊失色，你干吗撕我的暂住证？

他说，假的。

我说，我是用钱买的，怎么是假的？

他说，用钱买的还不是假的？嗯？

我说不出话来。警察说，带走。快点儿。

我和我父亲被塞上了一辆桑塔纳汽车，上次带我的是警车，这次是桑塔纳汽车。我们被带进一家派出所。我对警察说，你们别打我父亲，他有病。警察说，警察不打人的，别胡说八道。

我听到有人叫那个警察钱科长。

随后我和父亲很快就分开了。我再也不知道他在哪儿。我被带进一间比较干净的房间。有一个警察甚至给我端上一杯用纸杯子装的矿泉水，我很奇怪。不知道他们为什么端水给我喝。

这时，进来一个戴眼镜的人，他没穿警服，只穿着一件绸短袖T恤，手里夹着一个包。

他在我对面坐下来，先问了我一阵暂住证的事。后来他拿出一堆材料，说，这都是你写的吗？

我看了一眼，十分震惊。这些申诉状是我递到各个部门的，怎么会都在这里？

我说，是我写的。

他把材料一丢，说，不属实。

我说，是真的，不会错。

我们是调查过的。他说，而你是听说的，你说法院会相信谁？相信你妹妹吗？你有什么证据？

我没吱声。

他看着我，没有证据，就是诬告，诬告有罪，有罪就要判刑。我们可以起诉你。

我低着头，憋出一句，好，我也起诉你们。

他说，行，你就试试看，和人民为敌的滋味。

他把材料塞进黑包，走了出去。

我又被带到留置室，我一看就认出就是我上次进过的那间。里面又是三个陌生的犯人。我知道完了。我身上的肉缩起来，毛孔都张开了。

我说，我和你们无冤无仇，你们不要打我。

为首的一个大个子看了我一眼。这人很高，足有一米九左右。他说，不打你，只让你闻闻味儿。

我的头被他们插进马桶的尿水里，我呛得脑袋要爆炸了。一下子咽了好几口，不停地打喷嚏。大口大口地喘气。

我说，你们是什么人？为什么打我？

高个子说，没你这么笨的人，傻B！

他们开始推我，三个人像玩木偶一样，把我推过来推过去，我就从这面墙撞到那面墙，我的额头破了，鼻子也出血了。

一个人把酒瓶里的白酒倒到我的伤口上，我痛得大叫。

他们开始踢我，把我摁在地上，把白酒从我的鼻孔灌进去，我极度痛苦，脑袋深处好像有一把锥子在钻。

我说，你们……太坏了。

我好像昏过去了一阵。

后来我痛醒了，我看到可怕的一幕：一个人用钳子在拔我的手指甲。我痛得在地上打滚，他们就不让我滚，把我死死摁在地上。我的右手食指指甲和左手大拇指指甲被拔掉了。

我再次痛昏过去。

等我醒来的时候，好像已是第二天早上，那三个人不见了。我躺在地上。我动了一下身体，背一阵刺痛。我这才发现我的背上和手臂上竟然订了几十个订书钉。

我哭了，可怜地哭着。好像快疯了。我跪在地上，说我再也不上访了，再也不闹事儿了。我一个一个订书钉往下拔，每拔一个就痛一下。

我在留置室里关了十多天。有一天我突然被带去洗澡。是在他们的厕所里的水龙头下。洗完澡他们把我带到医疗室清理伤口。最后来到一间办公室里。

那个姓钱的警察坐在我面前，另一个年轻一点的给我倒了一杯矿泉水。我一见他们给我倒水，就害怕起来。

我面前的警察问我，对上访的事情怎么个看法？

我说，我不上访了，我再也不上访了。

他说，谁让你不上访了？

我说，我真的不干了。

他说，上访没有错，但不能无中生有。

他拿出一张暂住证，说，我们知道你们很困难，给你做了一张暂住证。上次是买的，不合法，这张是真的。你可以在这个城市好好找个工作做，我们不会找你麻烦，只要你遵纪守法。你妹妹的事情是子虚乌有的，我们调查过你妹妹的事，她在工厂做工时已经因为过度疲劳，精神出现过问题。你不能相信一个精神病人的话。从今天开始，这事儿就算了了，你不要再纠缠在这种无聊的事情上。好吧？

我没吱声。他们给我办暂住证，我感到很意外。

警察又拿出一个信封，说，这里有六百块钱，是我们对于困难人员的补助费，你可以用它租个房子，好好找个工作做。这个事情就算了结，好不好？

我低下头。我想，我先出去，出去了再说。

我说，好。

我以为他会要我签什么东西。但他们没这样做。他让我换上一身新衣服。然后拿出一包药来，说，你的伤口回家用这药处理。号子里有些乱，有些时候会发生一些纠纷，我们也没办法，管理上很头痛，社会渣滓嘛。

我拎了药回到上访村，见到了老六。我说，张德彪呢？老六说，你怎么不问问你爸呢？

我问，我爸呢？

他又不说了，说，张德彪又被收容了，十五天，还没出来呢！

我说，干吗又收容他？

老六说，说是人数不够，凑数呗。

我说，还有这样的事儿？

老六说，有啊。不过这次不像，我想，还是警告我们，我们和你走得近。

我说，我害了你们。

老六叹了口气，说，告诉你你爸的事。

我说，他出什么事了？

老六说，昨天派出所来人，找到我，要我转告你，你爸在派出所里失踪了。

我很奇怪，失踪？

老六说，就是逃跑了。

我很吃惊，我说，他怎么会逃跑呢？他有病，胆又小，他怎么会逃跑呢？

我不相信。立即回到派出所去问，没见到钱科长，是另一个科长。他问，你就是马木生，马贵的儿子？

我说是。他说，我正要找你，你父亲逃跑了。我们找了几天都没找着。你能告诉我他在哪里吗？

我说我刚放出来，怎么知道他在哪里？

科长说，你有他的消息向我报告。

我说，人是你们带走的，我还向你们要人呢。

科长双手一摊，说，他跑了，我们有什么办法？我们一起找吧。

我开始着急了。这一个月我把上访的事搁下了，到处找父亲。我回了家乡一趟，村里人说自从他出去看女儿就没见他回来。我把全城里他可能去的地方都找遍了，还是没有父亲的消息。

我回到派出所找钱科长，钱科长说他们调查了好多地方，还是没有父亲的消息。

他告诉我，你父亲失踪了。

我说，什么叫失踪了？

钱科长说，你没读过书吗？死亡得见尸，没见尸体又找不到人，叫失踪人员。你父亲这种情况，就叫失踪。

我说，你们得负责帮我找回来，他是在你们这里失踪的。

钱科长说，你这怎么说话的呢？他逃跑我还没治他的罪，怎么我们要负责呢？不是你向我们要人，是我向你要人，你是他儿子，怎么会不知道他在哪里？是你把他窝藏起来了吧。

我回到上访村。当晚，老六买了二两酒给我压惊。喝到一半的时候，他突然哭了。我问你哭什么啊？老六说，你在里面被打了没有？

我说，打了。

老六说，他也被打了。我听说的。

我说，谁？

他说，你父亲。本来我不想跟你说，怕你想太多。我去那家派出所打听过你们的消息，你转走了，你父亲听说还在那里。德彪的朋友在联防队里，他们在外面议论，说，没想到这老骨头那么不扛打。我就知道他被打了。

……我的心中升起疑虑的风暴。我想，一个老人被打了，还能逃跑吗？他能跑到哪里？

老六说，德彪就为这事儿进去的。我的话你就当我没说，我一直憋着不想告诉你，省得我惹麻烦，但心中一直不安分，我想，雁过还留痕，人死要见尸。这是天理。但木生，我有一件事求你，你不要再追究了，好吗？我告诉你一万遍，没用。就当他走失了，他老了，真的走失了。你回家给他立个坟，供上。你还年轻，别折腾了。你折腾了这么久，什么结果也没有。你非要把最后一条命搭上是不是？不能这样，好吧？你要好好活着。活着就好。活着就好。

　　老六说完低头哭了。如丧考妣。

　　我却一滴泪也没流，我说，老六，你让我想一想。

泥 土

　　我想，公正是什么。公正就是公平，正义，平等。就是我劳动得报酬，工作有房子住，我有权利在我的国家到处走，因为这是我的国家。我不是犯人，没有人能囚禁我，没有人能惊吓我，只要我劳动，就能饿了吃饱饭，病了有钱医，受了委屈有话说。说话并不犯法。这是我现在对公正的理解。我没杀人放火，我只是上访。申诉就是说话。到目前为止，我还没有犯法。

　　我继续上访。这段时间没干活，用那五百块钱维持我的生活，可是它不到三个月就用完了。我已经很节省。老六让我住他那里，不收我的钱。我每顿就吃五毛钱一碗的清汤挂面，里面除了几片菜叶，什么也没有。吃了半个月，我站都站不直了，老饿得发颤，特别想吃糖，看东西重影儿，老六就给我糖吃。我的钱用在交通费这一块太多，因为我到省里边上诉去了。

　　省里边我去了三趟。第一趟的时候他们说证据不足，因为我的材料里边都是我个人的猜想，要我补充证据。我不知道去哪里补充证据，只好让张德彪和老六作了一下证，按了手印。他们是哥儿们，为了我不怕死。最后一趟去省里的时候，有关人员告诉我，让我等候消息。

我最怕听到这样的答复。我说，你们不答复，我就不走。那个人说，我们一定办，让我放心。我说我不走，我要在这里等。这时有人叫他，他就出去了。我一个人坐在桌前，我想，我要等他回来，然后告诉他，我就天天在门口等，直到水落石出。

突然，一阵饥饿袭来。我这才想起我已经一天多没吃饭了。省城的东西太贵，我为了省钱，就没吃饭，想挺过去。现在我觉得不行了，那种饥饿的感觉像刀一样，刮着我的胃。我虚得趴在桌上不会动了。

我觉得肚子里一阵收缩。雷鸣般的回声在轰响，好像有一股风在我体内吹。我这才知道饥饿是会产生疼痛的，是一种虚脱的疼痛。我开始大量冒汗，像从水里捞上来的一样。我想，我太饿了，但我没钱，我睡一觉吧。

可是过了一会儿，我的手开始发抖。先是手指，后来整个手在发抖。我睡不着，越来越难受。我告诉你，当时我身上没钱了，只有回家的车钱，也就是说我没有钱吃饭。可是我太饿了，再饿下去我就要昏倒了。我的肩膀开始发抖，下巴都在颤动。视力逐渐模糊……眼前似乎有一个深坑，我一直往下掉，但总也掉不到底。我想，我这是快要死了吧。

这时，我的眼睛模模糊糊地看见，在门口有一个西瓜摊，但没人在。我面前的桌面上也有一块西瓜，上面爬着苍蝇。我告诉你，我对这块西瓜有多渴望。我的全部精力都用来注视这块西瓜，我想，我只要能吃下这片西瓜，我就能活过来。我的手稍微动一动，刚好能碰到这块西瓜。

我的手往前挪，碰到了它。我的食指接触到了水分。我知道这就是西瓜。但就在这时候，我突然停手了。我想，这不是我的西瓜，是别人的，可能是那个信访办的人刚刚买的，正要吃还没来得及吃。我要是吃了它，怎么能说得清呢？我说我饥饿，为什么不吃饭呢？我说我想吃西瓜，门口不是有卖的吗？我说我没钱，谁相信呢？

我停止了。我的意识虽然渐渐模糊，但头脑还能清楚地想这事情。我想，我不能吃这块西瓜。但我相信我吃了马上就能活过来。

这时，我突然看到桌子上面的玻璃板底下压着一张新版的五元人民币。它的三分之一已经从破玻璃板的边缘露出来。我的心像机器马达一样响起来。我想，只要我的手一抽，我就可以用这张钱叫外面的人把西瓜卖给我，因为我没有力气站起来了。可这不是我的钱，这我很清楚。不过我想，这五元钱对于城里人不算什么，它压在玻璃底下，是为了好看的，不是准备用的。可是现在它能救我的命。我就是这样想的，我意识不清了，脑子开始乱想，像做梦一样。我用了它，没人会发现。他们对玻璃板底下的钱不会在意的。

我开始努力移动那张人民币。我的手刚抓住它，我就知道自己虚弱到了什么程度，我连把它从玻璃底下抽出来的力气都没有。我继续用力，它终于抽出来一点，我马上就要得到它了。可就在这时，我的心里突然蹿上一种说不清的悲伤，好像酒醉的人猛然醒过来一样。

这是在偷！我被这样的念头吓住了。这是别人的钱，哪怕只是五块钱，也是别人的钱。别人把它压在玻璃板底下，是别人的权利。他有钱，他爱放在哪里就放在哪里，跟我没关系。不是因为它放在玻璃板底下，我就可以动它。我这不是贼吗？我的村里边有一次抓住一个贼，大家用棍子打他，他被打得头破血流，悲惨地大叫。这就是贼的下场。

我不怕打，打死和饿死差不多，但我不想变成贼，我不想要别人的东西。我从小到大没拿过别人的东西。我今天如果拿了这五块钱，我就是贼，警察不是说我是贼吗？我不承认。可是如果我今天拿了这五块钱，即使没人发现，我就是贼了，警察说得没错，我就是贼，我是一个贼，我有贼心，只是迟当早当这个贼而已。我真的可怜到成了贼吗？我已经像一个乞丐了，还要变成一个贼吗？想到这里，一阵心酸蹿上来，眼泪好像要涌出来，一种比饥饿更可怕的心情抓住了我。我缩回了手，感到很羞愧。接着我就昏睡过去了。

我醒过来的时候，发觉自己躺在了一架钢丝床上，那个信访干部和另外几个人正在给我喂糖水。他说，醒过来了，醒过来了！可是，我的头像铁坨一样沉重。意识也很迟钝。

干部说，你是不是没吃东西？

我点头。

干部对旁边的人说，我说了低血糖嘛。

他说，你为什么不招呼一声哪，多危险。

我说，啊？

你躺会儿吧。他说。

我在床上躺了有二十分钟，好像清醒一些了。我这时看见了干部把被我抽出一半的人民币往玻璃板底下塞。我很羞愧。

我说，是我抽出来的。

他说，啊？

我说，我刚才饿坏了，我想把它弄出来，买西瓜。我不是贼，我是饿昏了。对不起，我不应该把它拔出来。

他看了我一会儿，怔了怔，说，没事没事，不就是五块钱嘛。

我说，刚才我特别想吃甜的，我想用它买西瓜。后来我没有拿。

他笑了，你就拿呗，你要是吃了西瓜，我也就不要这么折腾了，你低血糖，一吃甜的东西就管事儿。没事儿，不就是五块钱吗？

我说，不行，那是偷。

他说，好了，我带你去吃饭。

我说，我要回去了。

他拉我起来，先吃饭，你都昏倒了，不吃饭怎么行？现在不算偷，是我请你吃，明白吗？

他把我领到对面的馆子里，扔下二十块钱给老板，让他给我弄些东西吃，然后就走了。

他走后，我对老板说，你就弄五块钱，把另外十五块钱给我。

老板说，那怎么行，主任说二十就二十。

我说，是我吃饭，不是他吃饭，你给我吧。

他只好还给我十五块钱。弄了一碗牛肉面给我吃。我就坐在那里吃了。我像饿鬼一样，把面扒得精光。

吃完面，我就回家了。我想，我不要在那边等了。这个主任是好人，他会在意我的事儿。

我回到樟坂，把事情跟老六和张德彪说，他们听了都很高兴。

一周后我又进了一趟省城，见到了上次那个主任。我问到我的事情，他皱着眉头，说，你这个事情比较复杂。我说这是什么意思？他说，因为牵涉的面比较大，性质比较特殊。我问，那要怎么样？他叹了口气，说，就是说没那么快有结果的。我听了很失望，但我相信他的话。

他想了想，说，你的目标要清楚，你妹妹的事情你告的是机关，比较复杂，你父亲的事情，我建议你要抓住对象。比如，谁是凶手？
要有具体的人。

我说，有啊，就是那个科长。

他说，那你就要搜集有关他的准确证据。你的证据要有一定的
量，我们才能启动调查。或者你直接到法院起诉。

我说我明白了。我回到樟坂，开始针对那个科长搜集材料。可是
我无从着手。没人会告诉我真相。我跑到那个派出所打听，被人认了
出来。

一个星期后的一天黄昏，我走在河边的时候，突然有一辆没车牌
的车停在我跟前，几个陌生人走出车子，一把将我抓住，我的手被反
拐到背后，痛得我眼冒星子。我被塞进车子，旁边一左一右两个人夹
着我，我开始叫喊，一块胶布立刻贴住了我的嘴。我拼命挣扎，旁边
一个戴墨镜的人就重重地敲了我的后脖子一下，我透不过气来，好像
要断气了。

车子开出好久才停下来。我被带出车外。这时，我看见了巨大的
烟囱。我以为是个化工厂。路边长满了松柏。

他们揭掉我的胶布，把我推到一间房间里，我看见了花圈。有一
条横幅挂在那里：陈运通同志永垂不朽！

我说，这是什么地方？

墨镜说，你说是什么地方？

我开始恐惧了，我知道这是火葬场，一种不祥的预感像冷风一样
上了身。我说，你们要干什么？

他们不理我，推着我往里走。我猜出几分，但我不相信。被推到
炉子前面的时候，我开始拼命挣扎。

我被装进一个纸做的棺材里。我这才知道，死人烧掉之前是装进

纸棺材的。可我是活人哪。我被巨大的恐怖击倒，吓得魂飞魄散，用尽我的力气大声喊叫。

他们不理会我，把我往炉膛里推。我的一半身体进了炉口。我吓得胆子已经飞出我的身体，我的手乱抓，居然抓破了纸棺。

我哭了。我哭喊着，求他们放过我。

墨镜说，你求我什么？

我哭得全身发抖，我不干了，什么也不干了，你们放了我。

墨镜说，你说什么？你再说一遍。

我说，求求你们放了我，我听你们的……

墨镜说，听我们的不行，我们说了不算，得听你的，你说了算。

我说，我知道你们要我做什么……我不上诉了，我不上告了，我不上访了，我答应什么也不干了。求求你们把我放出来。

……他们把我从炉口拔出来。我站不住，一屁股坐在地上。我瘫了。

墨镜又把我领到炉口前，叫我往里瞧。我瞧见了一些铁管子一样的东西。墨镜说，你看清楚了吗？从那里要喷出柴油来。

我这才知道人是被柴油点火烧掉的。我又瘫倒在地上。

他们就把我拖出去，回到刚才那个厅里。

墨镜问我，还有什么话要说？

我说，我答应你，我什么都答应你。

墨镜说，你说话怎么糊里糊涂的。

我全身颤抖，说，我不上诉了，我什么都不干了……

墨镜说，这是你自己说的，我可什么也没说。

他们把我重新弄上车。车开到一个荒郊野地，这时天已经完全黑了。

车停了。墨镜把我推下车，说，自己回去吧，朝南走，明白吗？

我说我不自己走，我要跟你们走。我这样说，是因为我心里非常害怕，我以为还在火葬场地界。

他们笑起来，墨镜说，得，还铆上我们了。

他们上车走了。把我一个人扔在野地里。

我在风中四顾，到处都是黑的。有一丝微弱的光，但不能辨别方向。我走了一会儿，不知道自己走在哪里。我心中有一种恐惧和悲伤，像一股比刀子更锋利的东西，吹过我的身体。我感觉自己的身体有一个大洞，风就从那里过。我空虚得时刻要倒下去。

我倒在地里，嘴啃到了泥土。我悲痛地哭泣起来，泪水滴进土里。我闻到了泥土的气味，那是一种可怕的让我讨厌的气味。有人说泥土是芬芳的，我闻到了它，我妹妹也闻过的，是可怕的腥味儿。我妹妹从小就睡在尘土飞扬的地上，她闻过泥土味。现在，她已经变成了土，她的骨灰和土已经混在一起，分不清什么是人，什么是土了。

我跪在地上泣不成声。有一刻，我感到无比软弱。我觉得一切都不重要了，无论是妹妹的死，父亲的失踪，都显得不重要了。我突然放弃了一切，感到非常轻松。所谓公正是不存在的。因为人生来是不一样的，他的出身不一样，他的智慧不一样，他的经历不一样，他的经济条件不一样，你要求每一个人都平等，是可笑的，也是做不到的，甚至是无理的。我想，这就是所谓命吧。我从不相信命，现在，我跪在肮脏的泥土里，捧着一颗被吓坏了的心灵。我好像相信命了。我的命就像我面前的臭泥巴，发出难闻的气息。

我好像睡着了。又好像时刻醒着。我的舌头舔到了泥巴，又冷又腥。泪水滴在泥土里。我想，我就是真正像这微尘也好，可我为什么又会思想呢？我为什么又会难过呢？微尘会委屈吗？微尘会难过吗？

我为什么要读那么多书呢？我就像这微尘一样，静静地躺在这里，任人践踏有什么不好。

我站起来，跌跌撞撞地朝城市的方向走。可是我走了大半夜，还是没有走出这块野地。我迷路了。恐怖再一次袭来。

……我走得精疲力竭，也没找到大路。老是走在田埂上，不时地滑入水田里，我满脚污泥，好像行走在地狱一样。这时，我看见前面有灯光。我奋力地走过去，是一间小土房。一个修自行车的人正在补胎。我问他路在哪里？他怀疑地看我，指了一个方向。我沿着他指的方向，走了半天，还是陷在黑暗里。我触摸着无边无际的黑暗，感到恐怖像潮水一样，完全淹没了我，我怎么走都走不出去。刚才那个亮灯的地方黑了，好像那个补胎的人并不存在，只是我的一个幻觉一样。

接近天明的时候，我终于找到了路。我看见了一些炸油条的三轮车摊子经过。我瘫软地坐在一块石头上，注视着在晨曦中渐渐显露出来的城市轮廓，一种奇怪的想法升起：在我眼前忙碌的都是善良的人们，没有一个人是坏人。从今天早上开始，我看不见坏人，大家都互相关心，互相帮助。孩子孝敬老人，年轻人要结婚。地里长满了庄稼，绝对够我们所有人吃，不会发生争吵。过去发生的事情都是假的，那是一场误会。就像昨天夜里我在野地里，一切只是一场梦。我的周围都是好人，他们都很爱我。

想到这里，我掩面哭了。

接下来的一段时间我好像麻木了一样。不是说忘记了我所经历的一切，而是感到自己没有力气，身体也越来越差，走路头昏眼花。我不再上访，我的心好像被一盆糨糊住了，就像生命和泥土混在了一起。

我在街上闲逛。到了一个烧瓷像的地方，我把父亲、母亲和妹妹的像烧在一个瓷盘里。我把它挂在我新租的房子里。我自己租了一间房，我重新开始工作。我跟着老六和张德彪，我的新工作是洗车。

只要有一辆车开过来，我就像甲虫一样叮上去，我擦得很仔细，也很干净。当我擦一辆豪华轿车的时候，我会忘记车曾轧过我的妹妹。我不会问自己，为什么我这辆车不属于我？我会说，是我挣钱少，如果我挣到这么多的钱，我就会买它，谁也拦不住我。

不过，挣钱的方法有很多。我认为什么方法都可以，只要我付出劳动，哪怕我伸手去拿，我也付出了劳动。就像我当时对付那块西瓜和五块钱一样，我只要伸手去拿，就是我的钱。这不算偷。当时我没有拿那五块钱是吃亏了，我就是拿了也没人知道，那个人不是说了吗？我就是拿了五块钱，他也不会责怪我，为什么呢？因为我饿得快死了。我们这些快饿死的人，拿一点钱不是什么问题，我们没有多要。

我第一次拿钱是从一辆奔驰轿车里。我擦完车，在清洁脚垫时，我看见了一叠钱，是车主落下的。我捡了起来，迅速放进口袋。后来我算了一下，是三百块钱，五十一张的，一共六张。

车主没有发觉，把车开走了。

这事过了十天没有动静。那辆奔驰车又开来了，我躲在远处。但车主只是来洗车。

看来他根本没有发现丢了钱，可见这些人多有钱。我放心了，上去洗车。他还跟我聊天，一边抽着烟。

可是到了夜里，我突然睡不着。我在床上翻来覆去到半夜。我觉得我完蛋了。老想起那人跟我聊天的样子。我不知道为什么他聊天的样子会让我难受。我产生一种小时候因为不慎被母亲罚站的感觉，那是一种被抛弃、从此没人爱的感觉。

我真的变成小偷了，警察说对了。我很难过，眼泪好像把被子都浸湿了。我一直以为自己是个好人，现在不是了。如果我不是一个好人，别人欺负我就有道理，至少我没话说。一种十分孤单的感觉在我身边飘浮，比我失去父母和妹妹时还要可怕。我在为他们打抱不平的时候，我并不感觉孤单，可是现在我抱着被子，觉得冷飕飕的。我想，老六和张德彪如果知道我偷钱，我就完了。

我睁着眼熬到天亮。上午，我带着钱出来，我不想把钱还给那个人。我有一种奇怪的道理：他的钱太多了，多到发现不了丢了钱。还有那么多人吃不饱，我为什么要把钱还给一个钱太多的人呢？这不公平。可是，我怎么处理这笔钱呢？

我心不在焉地擦了一天车，没有主意。很烦恼。

下班后，我做了一件奇怪的事情。我沿着街走，见到乞丐就发钱，一个人发一张，一共发了六次。我走完了顺义街，钱发完了。我很高兴。

我用别人的钱，做了一件让我高兴的事。

盗 窃

我觉得洗车的活儿太累，赚钱太少，于是我加入了一个装修队。老六和张德彪认为我活络，也随我加入了装修队。我们什么也不会，只能从土工做起。铺瓷砖的工钱有两种算法，走工的话大工一天六十，小工二十五，我只能是小工。后来我学得快，很快就开始走大工了；如果按面积算一个平方十二块钱，我只能得八块钱，工头抽走四块钱。

有一次我们给一个别墅做装修，我砌了一个保险柜。这个保险柜藏在他家的佣人房的衣柜里，真想得出来。我听说过装修工人做小偷的故事，所以我就留了一个心眼儿，仔细地看了它的结构。

我起了歹心了。我承认从那一刹那开始，我生长了一个十分恶毒的念头，为此我有所准备。这一次是我先有恶念，再有行为。但我什么也没对老六和张德彪说。我把我以前做万能钥匙的本事拿出来，一共做了十几把。我试了试，它还挺管用。

三个月后的一天夜里。我重新潜回那个别墅。别墅没有防盗网，我顺利地进了门，来到了保姆间。他家还没请保姆。我作案近半小时，竟然没有被发现，他们都在楼上睡死了。当我打开保险柜的门时，我看到的不是存折，而是现金。

我看着这么多钱，突然心生恐惧起来，好像它是一颗炸弹似的。我手伸过去时突然发抖了，我不敢多拿，只取了一捆，就赶紧溜出了门。

我来到郊外，就在野地里一直待到天亮。我数了数那钱，一共有三万块钱。我吓坏了，如果我手中的一捆就有三万块，那么在保险柜里的钱至少得有个几十万上百万。我觉得我的心就要从喉咙里蹿出来了。

不过我高兴极了，这钱来得那么容易，而且就这一单，我就成了富翁。我曾经发誓，有一天如果我成了富翁，我要吃最好吃的东西，然后吃一半扔一半。我要买一套西服穿，挂两条领带。我想，现在我要吃什么呢？于是我去了一家烤鸭店，一口气叫了两套烤鸭，可是我吃了不到一只就饱了。我走出烤鸭店，把另一只打包的鸭子随手就扔到了垃圾堆里。

可是我走不多远，心里突然非常难过。我好像看到了妹妹和父亲的脸。他们的眼睛在看着我，说，你都在做些什么啊。难道你有了钱就为了做这种事吗？我非常羞愧，把烤鸭捡回来，请老六和张德彪吃。

他们很高兴。我说我要谢谢他们这一年来对我的照顾。老六说，这是哪儿的话，兄弟嘛。可是我把三万块现金往桌上一放，他们全傻眼儿了。我说，这是拿来的。老六哆嗦说，是偷来的吧？我说，是拿来的，不是偷来的。张德彪说，你……是从哪儿拿来的？

我突然觉得有话对他们说。我说，你们知道什么叫革命吗？革命有时候不但拿钱，还抢钱，不叫抢，叫剥夺。剥夺地主老财的钱，但不算犯罪。今天我这也是拿钱，因为老子活不下去了。而那些有钱人的钱花不完，还放在柜子里沤烂，这里头就是不公平。老六说，人家有本事呗。我说放屁，我就不信这邪，我最不爱听这个，我，你，还有德彪，都有本事，但是我们没有机会。我相信一条，老天爷把我们这些人生在地上，不是叫我们挨饿的，地上那么多东西，我们却会饿死？这是我永远也想不明白的，这里面有问题，一定有问题。张德彪说，对，有问题。我说，你看，三天过去了，那家人没有报警，为什么呢？不义之财呗，他为什么不敢报警？做贼心虚呗，所以，我不是贼，他才是贼！老六说，他一定是贪官就对了。我说，我们等等看，如果一个星期过去，他还是不报案，那他就一准是贪官了。我们没有害人，我们是为民除害。

我把钱分成三份，说，我拿钱是闹革命，不是为了发财，这钱分三份，我们一人一份。老六和张德彪愣着，呼吸都不匀了。我说，你们还怕吗？这钱是偷来的吗？老六说，不是。我说，不是你怎么不动手啊？我又说，你们别害怕，我再说一遍，我偷过钱，你们不知道的，我偷过车上的钱，可是我心里很惭愧，把钱都发给乞丐了，一分钱也没给自己留下。从今天开始我专找贪官下手，保证不偷老百姓一分钱，我不但不拿他们一针一线，我还要把我弄到的钱给他们，就像现在给你们一样。

老六低头说，我知道你的意思。

张德彪说，我们拿了这钱，是不是就要跟你一起干呢？

我说，那你瞧着办。

老六想了想，说，木生，这样吧，你把钱收起来，我们跟你干，我也想清楚了，你说得对，我们这是打土豪，如果你真的不为自己，我们信得过你。

我说，这样，我们把这钱留下一部分我们用的，其余的你分成红包，一个一百块，悄悄地分给那些穷人，就是来城打工的，上访没钱的，别让人知道是你给的。

老六说，行，我晚上去办好了。

张德彪说，那我再去找几个兄弟来，他们过去搞这个是行家，在滚水里练摸肥皂练过三个月呢。

我说你别咋呼，我们跟他们可不一样，我们要的人是好人，不是坏人，我们做的事是好事，不是坏事，你弄明白了吗？我们先要搞清楚哪一家是贪官，一定要先作调查研究，他要是贪官，他就吃哑巴亏，就是一万年也不会把我们查出来，我们一定要知道他们的现金、首饰和礼品藏在什么地方，要专拿这些东西。

接下来的一年发生了很多事情。如果我告诉你我做了一年小偷，就是对我信念的侮辱。我们的人发展了好几个。我们的主要训练不是在滚水里摸肥皂，而是对老百姓秋毫无犯。我们执行一个案子时，作充分的前期调查。我过去读的书起了作用。我搬用了侦探小说的模式，把《教父》这本书翻烂了。我学着里面的方法，召集了一群人，警察把我们叫团伙。但我们和一般的团伙不同，我们从不在歌舞厅闹事儿。我们只是选定目标，然后悄悄下手，洗劫他们肮脏的钱。我们搞到手的常常不是现金，而是一些莫名其妙的东西，比如名表、花瓶、古董、首饰……这些东西让我伤脑筋，因为我需要钱，以便分发给穷人，而这些东西要兑换成钱是要冒风险的。

当我们调查到一户贪官后，就踩点下手。我们搞了好多案子，但没有一家报警的，我心中就有数了。但有一个区的公安局副局长被偷后，动用了人员侦查，已经查到我住的一带地方了。老六说，事情不对呢，老大，他和别人不一样，别人不敢查他敢查，他是警察局长。

我想了一夜，思量如何对付这件事儿。早晨的时候，我有主意了。第二天我写了一份声明，表示在公安局副局长的家中查到如下赃物，包括金链子八条，名表四只，现金十二万元，美元一万元，房契一份，洋酒三瓶，吩咐老六大清早贴到检察院大门口，地上就放着这些东西。上岗的武警到岗后，立即报告了在门口发现的东西。

不到一个月，这个副局长被双规了，又过了一个月，他被逮捕了。他就这样完蛋了。从此，再没有人敢查我们，谁查谁倒霉。我们每偷一家，就把他家藏赃物的位置公示出来，在大街上贴布告。我不在布告上写我的名字，只写上"群众"，但我不会忘记在布告左下方写下"此布"两个字。因为以前在我们乡下，每逢枪毙罪犯，布告上都有"此布"两个字。我写这两个字的时候，感觉很过瘾。

我们用这样的方法整倒了好多人。政府知道有一个团伙在做这些事，但他们装聋作哑，因为他们要靠我们提供线索，反贪局和检察院就扑上去抓人。老百姓却真的以为是群众在举报。但公安局是知道底细的，他们拿我们没办法。

有一回出了一件事儿，张德彪偷了一户人，事后证明不是贪官，是一家卖衣服的小贩。他看了人家往银行存钱眼红，就单干取了人家一万块钱。事后他十分害怕，因为我们的钱是统一管理的。他好吃酒，花销大，所以单干。老六领了他来，大家商量怎么办。我说，犯罪是要受罚的。我们不能犯罪，别人说我们是犯罪团伙，我们不承认，就是因为我们没有犯罪。可是今天，你这样让我们掌自己的嘴巴。

有人叫他去自首。

老六不同意，说这会出大事儿的。

我说，我知道你不是故意的，我不怪你，你也不要怪自己，你哪只手不老实，你就怪哪只手吧。

张德彪哭了，拔出刀就剁了右手的一根手指。

大家眼睁睁地看着那根手指滚到地上。吓得不敢说话。

有人喊，快送医院接，现在还来得及！

我说，要接你砍它做什么？

大家不敢吭气了，惊恐地看着我。我说，别看我，看它！我指着在地上的手指，它拖着血，一会儿，它变白了。像一块姜。

又半年过去，我们和公安局相安无事。但我听到风声，说上头准备开始收拾我们了。问题并不是出在我们偷贪官，而是我们分钱给穷人。一个外国记者到城乡结合部的外来工村落采访，发现了有人定期发给他们钱，觉得这件事很有趣。上面开始对此警觉起来，他们似乎在找一个借口，这个借口能令我们悄无声息地结束命运。

我对此无所谓。我连火葬场的门都进过，所以我什么也不怕。只是当我看着我父母和妹妹的像的时候，我觉得还有一件事没有完成。

我重新开始调查那个叫钱家明的警察。那天夜里，我一个人跑到野外，就是离火葬场不远的那片我深夜迷路的野地，我曾屈辱地跪在这泥土里。我知道这都是钱家明干的。我已经把他放下好久，现在，我又想起他来了。因为我的准备工作已经完成，现在，我要了却我的心愿了。

如果我的直觉没有错，他就是杀害我父亲的凶手。我得到的直接证据就是，他和一伙民警当天晚上从六点开始，用刑具痛殴我父亲。

钱家明当时用的是一根很粗鲁的木棍，是联防队员白天拿来练武的。最后一棍就是钱家明打在我父亲脖子上的，这最后一棍导致了父亲的死亡。

我不能说出是谁告诉我了这个秘密。但我敢说，在我父亲死亡这件事上，钱家明无论从当事人的角度，还是从负责人的角度，都要负最严重的责任。他既是科长，也是致命的打手，他是有罪的。

如果换了在一年前，我可能还会觉得一筹莫展。现在，我不再有这种感觉了。现在，我有办法做到我想做的事。因为我不再依靠别人了，我依靠自己的方法。就像偷那些贪官一样，我用自己的方法。我的方法就是我的标准，我的标准没有条文，没有典章，它们全在我的心里。

我环顾四周，这里已经变样，原先的泥地被整平了，不知道又要盖什么大厦，但它们跟我没关系。我的命运是自己改变的。现在我跪在这片土地上，当一回法官。因为我决定要做一件事了。

这是很奇怪的，我在决定结束一个人的生命时，自己却是跪在地上的。我明白了，我跪的是自己的良心。是跪父母和妹妹。

我对着空气说，现在，我代表我的良心，判处钱家明死刑，立即执行。

你觉得很好笑吗？可是我说完，却哭了。风吹过来，我低下头，又闻到了泥土的气味，它还是腥的。我在杀人的前夜，没有丝毫的骄傲，却平添无比的孤单。

我进入程序。据我了解钱家明有一个小老婆，二十多岁，是荆西派出所的一个户籍警，一个人住在金田开发区的一幢新楼里。钱家明每周都要跟她幽会一次。他很狡猾，有一套约会的时间规律。比如这一周如果是周五晚上过来，下周就变成周六，再下周是周日。所以其实钱家明是每八天和姘头见一次面。这是要掩人耳目，主要是对付他老婆的。

我跟踪他到金田开发区的湖洋公寓。他傍晚七点进去，到十二点半才出来。他出来后，突然站在树荫下尿尿，尿了好久。我觉得奇怪，绕到树后去看，我看见了让人恶心的一幕：这老兄居然在清理自己的私处，仔细地揭开粘在上面的卫生纸。我差一点吐出来了。这就是我的仇人，他果然是坏人，现在他的丑行败露无遗。人们常说我们是社会渣滓，我觉得他这种人才是渣滓，我长到现在连女人的手都没摸过，他却有两个老婆。这种人杀掉是很正确的，他活在世上对人民没什么好处。

他清理完私处，把一包东西用力扔到黑暗的空地上，然后上了车。可是我已经在车上了。我从后面用一根绳子勒住他的脖子，他四脚乱蹬。

他叫道，放开！我开枪了。

我说，别喊，你没枪。我查过了。

他说，你是谁？

我说，你现在开车，往南开。

他说，好，好好，你不要乱来。

我让他把车开到那片离火葬场不远的野地上，就是我跪的那地方。我把他绑在一棵树上，说，你认得我是谁吗？他看了我半天，硬是没认出来。我很伤自尊。我想，这个人做的坏事太多了，竟然连自己杀害的人的儿子都认不出来了。

我说我叫马木生。他立即明白了，大喊，你父亲不是我杀的。

我说，你不是说他失踪了吗？怎么又变成杀了呢？

他支吾道，是失踪了……跟我没关系。

我拿出一张我写好的宣判书，把我父亲被害的整个过程读了一遍。钱家明听出问题来了，开始挣扎。他哀求我，要我冷静。后来又威胁我，说，不出三天我就会被刑侦队抓到，我还年轻，犯不着找死。最后他说，他可以给我钱。

我说，你能给我多少？

他看到希望，说，你要多少？

我说，你这种时候还跟我谈判吗？

他说，我给你二十万……见我没吱声，马上又说，五十万，可以了吧？

我说，你他妈的不过是一个科长，你哪来这么多钱，一开口就五十万！你们这帮人真是坏透了！我告诉你，我就是专偷贪官的老大，什么钱没见过。今天，我就是要判处你的死刑。

他吓得开始大声呼叫，头疯狂地四下环顾。

我从车上拿了扳手，走过去敲了他的脑袋。他死了。

我在判决书上签下自己的名字，塞到他的脖梗子里，就地把他埋了。

我坐进车里，抽了一根烟。

我把他的警察帽戴在头上，在车上的镜子里照了照，发现自己很英俊。同时我还发现，中国的警服是全世界最漂亮的。

我抽完烟，下了车，把身上的泥土拍干净走了。

逃　亡

　　我找到老六和张德彪说，我要去很远的地方，向他们告别了。老六立刻知道发生了什么事。他沉默了一会儿，握了握我的手。我说，东西都在房间里，你们把它分给穷人，自己也留点儿，到远处找个工做吧。

　　我带了五十几万元，用报纸一包，塞在一个破旧的马桶包里，登上了西行的324普快。车上人非常多，他们都是放暑假赶着回家的学生，汗味在空气中飘浮，咒骂声不绝。我找不到座位，只好钻到一个车座底下，我的面前就有一大堆痰迹，可是我睡着了。我把装着满满一袋钱的马桶包枕在头下，一点也不担心它。

　　我真的睡着了。但我做了无数个噩梦。在梦中我身处一个大羊圈，一条狗命令我清点羊只的数目，因为它怀疑我偷了羊。我被迫点了一遍又一遍，直到精疲力竭。当我点出真实的数目时，发现我无法停止下来了，只好一直点下去，我痛苦极了，从梦中哭醒过来。

　　我从座位底下爬出来，还是找不到位子。乘警从车厢走过，我一点也不怕他们。我把马桶包晃来荡去，也不担心钱会从里面飞出来，我的脑袋是昏的。我来到车厢连接处，靠在那里，看到车外的一片美丽的山坡，翠绿得像涂在上面一样，有一群绵羊三三两两在草地上，它们很温驯，弓着肥嘟嘟的身体弯腰吃草，就像一个个白色的气泡一样，仿若画上的事物，非常宁静。我靠着车窗，望着窗外这一幅和我梦中完全不同的画面，突然落下泪来。一股悲伤击碎了我的胸膛。

……现在我已经报了仇，可是我却没有丝毫的喜乐，因为我原本的生活不是这样的，我的理想也不是这样的。我不应该挤在这车上，我也不应该背着几十万的钱，我只想安安稳稳地学门手艺，找个工作，更好一些的话我想当个作家，因为我看了很多的书。我还会娶个妻子，生两个小孩。可是现在的我，疲惫地靠着车窗，我的前方是遥迢的不可预知的未来。

……三天三夜后，我突然在贵州一个叫贡达的地方下了车。我没有计划，只是想找一个很荒僻的小地方下车。我下了车，发觉这是一个小镇，很多包了头巾的妇人手上拿着蛇走来走去，她们是在兜售蛇。我在一家杂货店的土墙上看到一张通缉令，虽然跟我没关系，但我仍觉得这里不安全。我的身份证上的照片跟我本人不像，但我还是进理发店剃了头发，又留上胡子。下午，我又上了一辆去深水的汽车。我不知道深水在那里。我心里突然害怕起来，在半路就下了车。我下车的地方是一个山坡。我看天色慢慢变黑，感到又渴又饿。但更沉重的是困倦。我看见有个亭子，就走过去。我趴在石凳上睡着了。

不知睡了多久，我突然被叫醒，这时我听到了亭子底下小溪的流水声。好像已经是夜里了。我的面前站着一个中年人，看上去没有恶意。他说在外面露宿要着凉的。我不知道说什么，起身要想离开。他说，我姓王，是沐恩堂的牧师，你不要害怕。他的手指着远处，那里有一处灯光。我知道什么是牧师，牧师跟和尚一样，不是坏人。我说我是赶路的。他说，你跟我到教堂吧，你不能睡在这里，溪水很阴，要得风湿的。

我实在太饿了，就跟他到了教堂。这是一间并不宏伟的教堂，甚至有点儿寒碜，麻石条砌成的墙，上面挂满了爬山虎，表示这幢房子已经古老。王牧师说，这是英国人盖的，已经有八十几年了。我们走上了长长的屋檐，我从来没见过这么宽的屋檐。里面走出几个妇人，牧师跟她们说了几句，她们把我领进了一间屋里。

我吃了一大盆面条后睡了。我睡得很香。我的马桶包就搁在桌子上。直到太阳照到我的脸，把我晒醒。我听到了一阵歌声。我起身走出房间，看到教堂里聚集了人，他们在唱歌。我觉得新鲜，就站在房间门口看。

王牧师开始讲道了。他讲的我听不太懂。但后来我听懂一些了。他讲了一个这样的故事：一个女人做了奸淫的事，规定可以用石头砸死她。但耶稣对站在旁边想砸死她的男人们说，你们哪个没有罪，就可以用石头砸死她。结果没有一个人敢砸她，却都一个个退下去了。这个故事很好懂，它告诉我们，有罪的人是不能用石头砸别人的。

我有些困倦，想提了东西悄悄离开。这时又开始唱歌。旁边一个老妇人把手中的歌本递给我，我只好拿着。这时，他们唱了一支歌，叫《曾否就主洗罪愆》，不知道为什么，我听的时候心里一阵想哭，我觉得我不但是数羊的人，我就是一只羊。

我留在教堂做了半个月的义工，钉椅子，他们管我的饭吃。因为我没地方可去。我觉得到处充满危险。听说山下就是黄城县，我就更不敢去了。我在教堂待了半个月，钉了一百条椅子，教堂的椅子都要换了。我跟王牧师说，我是修油烟机的，他马上就相信了。他正在用油漆刷椅子。我说，你讲的故事我有的听得懂，有的听不懂。他说，哪些听不懂，你说来看看。

我说，那些男人没有强奸，为什么不可以用石头砸她？

王牧师说，他们也有罪啊。

我说，但他们没有犯强奸的罪。

王牧师放下油漆桶，说，人的罪有两种，一种是行为的，就是犯的罪行，另一种是心里犯的罪，你虽然没有做出来，但你想做，你在心里已经做了，这叫罪性。不一定要犯出罪行来，但每一个人都有罪性。

我突然问，你有吗？

王牧师望着我，笑了，有啊。我也是一个罪人。

我说，你有罪为什么还能在上面讲课呢？

他说，因为我已经向上帝忏悔了。

我问，那你就没罪了吗？

他说，有，但看上去没了。

王牧师用手中的刷子把椅子上一块污迹一刷，白漆就把它覆盖了。

我没吱声。继续钉椅子。我钉的椅子王牧师都把它刷上了白漆，看上去很好看。

晚上，我一个人在想。我想到了很多，我想，我杀人没有罪。我对王牧师说的罪性仍认识模糊。

第二天上午，王牧师继续刷油漆。

我开始心不在焉。我问王牧师，罪性看得着吗？我心里想，如果我看不着，我就不相信我是有罪的。

王牧师说，要有光，才能看见。

这话太深奥。但我对这个话题有兴趣，因为我刚杀了一个人。我把它称为报仇。在我的理解中，报仇是公正的，没有问题的。我不怕抓，但我心中交战，我得说服自己，我做的一切没有问题。我有我的公义，我的标准。

我问王牧师，那谁有权利拿石头砸那个女人？如果没一个人敢砸，那不是谁都可以做坏事了吗？

王牧师说，上帝。

我说，上帝在哪里呢？他又不是人，他怎么管呢？他管得着吗？

王牧师说，受上帝托付的人，可以使用权柄。但不能随他自己的意思，因为他不是直接权柄，人都只是代表权柄，什么意思呢？就是说，地上没有一个人是无罪的，没有人像上帝一样是圣洁的，所以人都没有权利管别人，只有当他代表上帝的时候，才能管理别人，所以他是代表权柄，不是权柄，明白了吗？

我说，听懂了。

王牧师说，代表权柄是会害怕的，因为只要他做得不对，随自己的意思，他的权柄随时会被收回，所以他会很谨慎，也很害怕。

我觉得他说得不对，管我们的人一点也不害怕。

我在教堂才待了半个月，就又离开了。但我决定在这个地区待下来，我怕被人认识，就躲在黄城郊区的一个叫七里堡的地方，租了个房子住下来，钉椅子卖。我用钱买了一本身份证，改名叫李百义。我就这样干了一年，并没有危险的风声。我到镇上也没有看到通缉令和布告，我就放心了。我好像把杀人的事情忘记了。我真的忘记了。我不是一个杀人犯，所以我很快就会把它忘记。我只想好好过日子。

第二年我开始正经做事了。我有一笔钱存在银行里，我要用它做我从小想做的事。我把银行里的钱取出来，把七里堡一个张姓老板的机砖厂买了下来，招了十几个工人。我的脑袋比他灵，他的厂子快办不下去了，我接手后改为生产一种现在很难见到的仿古青砖，就是古代建筑常用的那种砖。因为我发现几十里外的河边就有这种用于做青砖的泥。成都和贵阳的建筑包工头直接到我们这里进货，我的订单多到做不完。

　　第三年我建立了更大的工厂，这是专门烧制瓷砖的工厂，生产一种耐磨防滑的地砖，很受装修商的青睐。又过了一年，我从澳洲引进一种一次成型的外墙材料，这种东西有很多花样可供选择，可以在建筑物的外墙建立模子，然后一涂成型，干透后比瓷砖还结实，但比瓷砖漂亮。它还可以用作停车场的地面装饰，能有效缩短施工时间，提高效率。

　　我告诉你，我对钱是什么概念。自从我看见我的妹妹的心脏之后，我就知道，钱不可以给我的今生带来幸福。幸福绝不是钱这种东西能把握的。我现在有大把大把的钱，但我的妹妹不能复生了，我的父亲也不能复生了。我也不能复生了，从我跪在泥土里的那一刻起，我就已经死去。现在活着的仅仅是我的名字而已。所以，我拼命工作赚钱，只是在证明我是一个对社会和人类有用的人而已，我配活在这世界上。至于我的个人幸福，没有任何人能给我，包括我自己。

　　我开始有步骤地实施我的慈善计划。我把我挣来的钱用于两个部分，一部分用于扩大再生产；其余的都用于周济穷人。我一般通过我的副厂长老周办理捐款事宜。我几乎不出席任何捐赠仪式。我不是怕自己暴露身份，我已经很安全了。我只是不想让别人知道，这是一个善人，好人。我认为这世界上没什么好人。牧师说得对，大家都是有罪的。只是在有罪的人当中，有的人还知罪，有的人不知罪，所以他们更卑贱。

可是，有一天发生了一件事。那天刚好在土坝发生泥石流。我参加了抢救工作。我在救一个叫黑嫂的妇女时被泥石流打到，双腿鲜血淋漓。老周要我上医院，我不去。他只好把我背回厂里，请了大夫来包扎。所幸没伤着骨头。

傍晚的时候，一个人来造访我。他没经门卫就一个人窜进来，我对这个人有点印象。我在抢救现场看见过他。他问，你就是李百义？

我说，是，我是李百义。

他凝视着我，点头，哦，你就是李百义……

他说话很慢。我心中升起一种怪异的感觉，一种久违的危机像烟一样扩散。我突然想到，我是不是把那件事忘了，但它并没有过去。我杀的人复活了，他要计算我的罪，我并不惧怕计算我的罪，我欢迎计算我的罪，我相信我的罪不会比他的罪重，我有罪性，我没有罪行，我杀人是被逼的。我是在用我的法律行使我的权利。我杀人之前经过审判，可是我父亲死时却连审判都没有。我静静凝视着来人，等待着那个时刻的到来。

可是他却说，我叫陈佐松，是黄城县管民政的副县长。

我想起来了。他伸出手来跟我握手。

……很奇怪，我竟产生一种失望的感觉。我以为那个时刻来临了。我无数次地想像过这样的画面：一群警察突然出现在我的面前，然后我就自动伸手，像许云峰一样镇静自若地被带上警车。这是我经常在书上看到的情景。我认为这种场面有一种致命的吸引力，在我的经验中，正义常常不是在正常的情形下出现的，我的知识也告诉我，正义常常在被迫害的非常情境里出现，它会产生一种无法阻挡的迷人的悲剧感。

所以，当我出现在法庭上时，我计划用几个小时的时间慷慨陈词，把我这些年来所受的委屈公之于众。我要告诉大家，我犯的是什么罪，而别人犯的是什么罪。如果他们也能认罪伏法，我愿意从法庭直接押上囚车，执行枪决。我好像在等待这个时刻到来，甚至盼望它的来临，因为这个秘密堵在我的心里很多年了，我一个人已经无力承受这个沉重的秘密。白天，我拼命工作挣钱作慈善，夜里，我思绪翻滚。我多么想找一个亲密的所在，向它诉说，向它认罪。我说不清这是要它来担当我的罪，还是分享我的幸福。可是很多年过去，没人来分享这个秘密。所以，我几年来常会做同样的梦，在梦中，我站在法庭慷慨陈词，诉尽我心中的所有秘密。然后我就走向刑场，我会看到山坡，看到羊。可是我醒来，才知道一切并没有发生，我多么失望。醒来时，我的枕头上已经湿了一片。

现在，这个人看来并不是要把我带去我想去的地方。

陈佐松说，你救了人，黑嫂要谢谢您。

我没说什么。

他说，我不代表组织，所以我一个人闯进来，你不介意吧。

我说，不介意。

陈佐松站起来，在我的办公室里转来转去。我不知道他是什么意思。他在我那张破沙发上坐了几下，沙发太破了，海绵从里面露出来。他用力颠了几下，弹簧竟发出轻微的声音。他望着我，说，有意思啊？还会发出声音。他又颠了几下，突然叫了一声，弹簧从皮里弹出来，剐了他的屁股。我叫老周赶紧带他到医疗室上药。

他撮着嘴对我说，今天我是来看你的，没想到我倒要去上药。今天我没给你带礼物来，那种东西没用，等你腿好，我请你吃酒。

……陈佐松的到来是一件奇怪的事情。我还没明白怎么回事，半个月后，他又来了，用他的车载我到郊区一个野味酒家喝酒。

　　我不喝酒，就喝啤酒。陈佐松不劝酒，只顾自己喝。喝完了一瓶白酒，他开始说话了。他说，我观察你好久了。

　　我没吱声。

　　你是个异人。他说，我今天不以副县长名义和你吃酒。他总是把喝酒说成吃酒。他说，我们是朋友。从今天开始，不管你愿不愿意，我们是朋友。我告诉你，我活了几十年，现在都四张了，看过多少事多少人，没几个明白人。但我看你是一个。

　　我说，我不明白。

　　陈佐松笑了，说，不，你最明白。我告诉你一个秘密，只告诉你一个人，因为你这个人信得过，我心中有数。昨天晚上，我拒绝了一个贿赂，总数是十万元。你相信吗？

　　我看着他，说，这很好。

　　陈佐松说，关键是我拒绝了它，应该很快乐才对，你不想干的事，证明它是有危险的。但是我避开了危险，心中却不快乐。你说，这是为什么？

　　我问，为什么问我？

　　陈佐松说，应该问你，你捐出那么多钱，自己却坐那样的沙发。我们在为该不该拿钱烦恼的时候，你却在往外送钱，所以你的意见是有参考价值的，我要问的是，你快乐吗？

　　我说，是。

　　陈佐松看着我，说，你有什么心事似的。

　　我说没有。他喝了一口酒，说，老实说，我十年来没有什么朋友，只有同事，同事不是朋友，你了解这意思吧？我看到的事情不能让我振奋，我是律师，但我其实是一个理想主义者。我观察你好久了，我觉得你是快乐的。

我说，你说得对，我对现在的生活很满意。

他举起酒杯说，我对你很尊重，所以我敬你一杯。

他喝了酒。我也喝了。我突然有些感动。但感觉情境有些不真实。

陈佐松说，不过，我给你提个意见。你不要再躲在后面了。我知道你是什么想法。你很谦虚。但你应该出现。你知道为什么吗？

我说，我想请教。

他突然哈哈大笑起来，说，没什么原因，你躲在后面，我就没朋友了！你这个傻瓜！吃酒。

……我和陈佐松就这样做了朋友。

三个月后，我成了黄城县慈善协会会长，政协委员。我的生活改变了。但这是我的朋友改变的。我承认，陈佐松是我逃亡后第一个真正的朋友。

但他仍不知道我的过去。我不想跟他说，并不是出于恐惧，而是想忘掉过去。

女 儿

　　李百义回家休养之后的第一周的周末，他的故事讲完了。对于李好来说，这个故事是一个近乎荒诞的、与己无关的呓语，她不愿意也不能把故事中的人和她那个慈爱、深情的父亲联系起来。她无法想像在温和宽广的父亲身上，竟有这么强烈的仇恨的印记，而这些印记是由于极端痛苦的经历产生的。

　　一切是真的吗？李好这样问自己，为什么如此痛苦的经历没有摧毁父亲的笑容？在李百义身上，看不到被仇恨扭曲的面容，也找不到被痛苦压垮的痕迹。所以，一连几天，李好都无法让自己相信父亲的讲述是真的，也许这只是父亲为了转移她的感情而施放的一次烟幕弹，制造的一次事故？

　　但李好的直觉又让她无法完全否认父亲的所述，依他的秉性不可能开这么大的玩笑。李百义是一个务实、守信、内向、真实的人。但一切毕竟发生了。如同她爱上养父的事情一样，父亲讲述的经历更为怪诞，这两件事都像不真实的影像一样。李好快要被摧垮了……她只能选择让这一切都成为梦中的事物。一周来她的脑海中无数次地上演父亲描述的情节，就像过电影一样，可那是别人的故事，也是梦中的故事。她自己也像梦游一样，生活在一种不真实的气氛中，这是把问题搁置的最好办法。

李好在电视台录像时心不在焉，老是出错。她只好请了一个星期的假。

她想，她总得和父亲面对……这是一个显得尴尬的问题。李好回家后看到父亲，父亲看她的眼神没有尴尬，也看不到退缩，反而有一种从容。这是他把故事讲完以后的变化，他的目光比以前更深沉，也更深情。看得出来那是一个真正的父亲的目光。如果说李好突然爱上父亲着实让李百义吓了一跳，而产生了某种距离的话，现在这种距离消失了。女儿的爱情让父亲有了一个倾诉自己的机会。在讲述之前，李百义注视女儿的目光如果只是一个父亲的关爱，现在他已经在注视一个朋友了。这是李百义正式承认女儿已经长大的标志，因为她可以开始与他一起分享痛苦了。这的确是一个深刻的变化。

但女儿可不这么想。父亲的想法是幼稚的，如果他想用这个故事来改变女儿的想法，只能让女儿产生更强烈的爱情。本来在女儿心中产生的爱情就不是一般意义上的爱情，是一种对英雄和高尚的爱慕，现在，这份爱情中添加了苦难的因素，显得更加完整和巍峨。但现在李好内心对父亲的爱情表达的确放慢了速度，因为有另一个她从未想像过的巨大危险正在渐渐向她逼来：她可能永远失去他。

李好这几天脑海中总是被这种可怕的想像占据：她站在囚车的前面，拦住囚车的去路，但终于被推开。在梦中，她总是一次一次抓住车门，却一次一次地被推开……然后她醒来，看见枕巾湿透。这就是所谓悲伤。

这个年仅二十岁的女儿做出了一个决定，这是她第一次决定父亲的命运。她多么幼稚！但她这样做了。李好收缴了父亲的手机，致电单位各部门声称父亲需要长期休养，停止了李百义的所有工作，把他弄到了深水边上一个叫文房的小型水电站，这是她一个同学的父亲工作的地方，偏僻、安宁，不容易发现。周围景色优美，鸟啼不绝。李百义明白女儿的用心，他任由李好摆布，来到这里住下。

因为他疲倦了。自从李百义把那个故事说出，他的身体就像绷断绳子的柴禾，一下子松弛了。也就在那一刻，他感到自己老了。因为女儿长大了。

深水边上的文房，像一颗宁静的珍珠，不发光，但悄悄地躺在河边。李好和父亲在这里住了两个星期了。他们有厨师每天给做饭，所以闲来无事，就看着河水和对面像烟一样的山林。这里非常安静，所以听上去反而有无数不同的声音出现，只要你竖起耳朵，你会发现，其实这里比城里更喧闹，在安静中有无数动物的鸣叫慢慢浮现，越来越清晰……最后汇成一种合唱，但就其整体来说，又可说是宁静的。所以，他们发现，绝对的宁静就是绝对的喧闹，只是发出声音的对象不同，一种被称为宁静，一种被称为喧闹。

晚饭开始。厨师老李做好了饭菜。李好把饭桌搬到大门外的空地上，从这里可以一览平静的江水和对面的群山。她为父亲准备的是从河里刚捞上来的白灼江虾，清炖溪鱼和芦笋，还有一盘雪里红。李百义对吃的简单到了惊人的地步，他曾经有一个星期每顿只吃一碗清汤挂面的记录，挂面里只有盐。他下乡的时候，就到镇上买一溜长长的馒头串，挂在身上晃荡晃荡，很难看，但很实用。他用矿泉水就着每顿嚼两个馒头了事。他有一个理论：人身上所有的养分实际上来自于五谷，菜只是让人咽下五谷。可以不吃菜，但不能不吃五谷。眼下这顿菜对于李百义是丰盛的了，但他勉强可以接受，李好掌握了他的心思。这些鱼是江里捞的，不花钱，所以能让他接受。

李百义对自己苛刻，对别人大方，这通常被当做榜样的特征。但在李百义身上，这不仅是特征，而近乎是一种生命了。他甚至连生病也不上医院，挺着让自己医疗室的人对付一下；而他大笔一挥，就可以捐出几百万给穷人。所以有人说，他有慈善综合征。他所捐建的所有建筑物上面从来不许刻他的名字，他也从来不领证书，别人看来这是高风亮节，实际上是他对钱有一种奇怪的轻蔑。从那个保险箱偷第一笔钱开始，他就对这个东西有一种天生的厌恶。他爱的是书，不是钱。所以，只有在一件事上他肯花钱，就是买书。

可是在六年前开始，他却停止买书了。他觉得这些书上并没有教会他如何生活和做人。他发现，指导生活最便捷的方法，就是一个人在深夜，听自己的良心。因此他形成了一个习惯，在临睡前，他会闭上眼睛，慢慢地问自己的内心，和它对话。他会过电影一样把一天的事情过一遍，哪些事情不应该做，哪些事情有欠缺，他都会过一遍。他发现，自己的心灵比任何朋友都可靠，它不饶舌，很亲切。它是最好的朋友，它和他交谈时也最真诚，它是最好的导师。关于未来的事应该如何行，问它便知。而在文房这个安静的地方，听心的声音是很方便的。这里太宁静了。

有一次，他为一件事烦恼：关于他是否应该买一辆新车的问题。老周等同事一致表示，购买新车并不是好逸恶劳的象征，是效率的需要，而提高办事效率的目的是为了慈善事业，这是说得通的，那辆旧车经常得修理，因此这是一个技术问题，无关品德。李百义拿不准，他就采用这个办法，一连几天的深夜，都坐在床上闭眼冥思，和自己的心对话。第四天夜里，他终于听到了清晰的回答，这个回答是：爱和效率无关。他立刻明白了，坚持使用旧车。

但后来有一件事真的把他难倒了，就是陈佐松要他出任慈善会长和政协委员的事。他从心里并不愿意出头露面，但陈佐松的话很有道理，他说，这不关乎李百义自己，是关乎爱的事业。李百义用了一周时间天天深夜坐在床上，问自己的良心，当这种官是否正确，但毫无结果。他遇到了前所未有的难题。

可是有一天晚上，他突然听到了这样的声音：如果你对一个决定真的无法决断，而你的心又是真诚的，那你就放下吧。他似乎明白了"放下"是什么意思。不是放弃，而是等待。在这种等待中，除了一颗完全纯净的心之外，什么杂念也没有。这时，环境就起作用了。它会用事情发展的结果来向这个人昭示，如何做是正确的。

李百义对自己说，十天之内，如果他们真的批复，要我做这个官，我就做；如果不能批复，就是不应该做的。

十天以后，文件批复。李百义当上了政协委员。这是他第一次当官。他很平静地接受了职务聘书。他丝毫也不觉得滑稽：一个杀人犯当上了立法者。他的良心没有控告。没有一个人知道，他是经过了这样的心理过程，来接受这个职务的，包括陈佐松。

那天晚上，他坐在床上，突然想起了王牧师讲的话。他想，我现在是代表权柄了。我应该开始害怕。害怕什么呢？就是小心用手中的权力。他整个人紧缩起来。这是一个重要变化：以前的李百义是一个自信到了极点的人，甚至是自以为是的。他对自以为是的解释是，自己认为是对的，就什么也不怕。可是现在，李百义却害怕起来。他的自信好像一下子丢掉了一大半。自己认为是对的为什么还要害怕？这真是一个有趣的问题。从那天半夜开始，李百义变成了一个恐惧战兢的人。不是因为罪，而是因为权柄。

他也是运用这样的方法，来决定是否向女儿说明自己的历史的。他在病床上经过几天的质询良心的声音，相信这个决定是正确的。是时候了。李百义自从向女儿说出这一切之后，就不再感觉自己只是一个人，也不再孤独。虽然现在和女儿面对面吃饭的气氛和平常有些不同，李好和他说话也不再像过去那样随便，却平添了一种凝重，也增加了一种隽永……李百义的心变得像江水那样平静，因为自己最亲近的人已经开始在分担他的苦难。

李百义和李好一边吃饭一边看着江水，他们的话很少。女儿问父亲：好吃吗？

李百义点点头说，好吃。在女儿面前，他说话的样子像一个青年一样拘谨，笑容单纯得像一个未谙世事的人一样。

这说明他们之间有秘密，也说明这对父女的关系正在重新进入另一个新的阶段。如同一个老年男人突然中风，现在重新开始学习走路和说话一样。

这是我吃过的最好吃的鱼。李百义对女儿说，这溪鱼很香。

女儿收拾碗筷，说，因为这鱼有脂肪。

李百义说，对，河水冷，鱼就好吃。

这就是他们现在的对话方式，有一些奇怪，李百义仍觉得舒服。但李好的心情不同，她毕竟是一个二十岁的年轻姑娘，虽然由于她的经历，使得李好比同龄的女孩成熟，但李百义所讲的故事过于离奇和危险，已经危及她和她最亲爱的人的处境。这几天，李好始终处于担惊受怕之中，她用了一个孩子气的看上去有些好笑的方法：把父亲软禁起来。这样就没人能找到他，也不会把他抓走，而且父亲也不会贸然去自首……

然而父亲为什么要跟她讲这个故事呢？是不是蕴藏着一种即将和她分别的意味？李好仿佛看见：父亲和她讲完自己的经历，接着就转身上了囚车。这是她无论如何也不能接受的事实。

她不知道父亲是否有自首的念头，但她不敢去问，父亲也不说。这样，那个被说出来的故事成了没有下文的孤零零的东西，搁置在两个人的心里。谁也不敢触及，谁只要用手指轻轻一碰，两个人就像两只栖在树上的受惊小鸟一样，马上就会分开，飞走了。

可是，他们住到文房的第二天，发生了一件让李好失魂落魄的事。

早饭后，李百义失踪了，直到午饭时他还没有回来。李好预料中的事发生了：父亲已经讲完他要讲的，现在付诸行动了。他一定是去自首了。

厨师老李让她先找一找，李好就拉着老李满山遍野寻找，可是到下午两点钟，还是不见李百义的踪影。她的猜测被证实了。

她回到房间里，抑制不住悲伤，痛哭出来。

她闻到了死亡的味道。一种腥味在她的面前飘浮。她知道了，父亲的冗长讲述的确是一种告别。

她收拾衣服，准备回黄城找李百义，她怀着一丝最后的希望。

可是她刚出门，父亲就出现了。老李站在他旁边，说，你父亲迷路了，没事的。

李百义笑着看女儿，说，我出去散步，走得太远了，在树林里走不回来了。

他的手上有叶子的剐伤，脚上沾着泥巴。手上还抓着一只小鸟，说，你看，麻雀。

李好一把抓过小鸟扔了。

她失声痛哭，抱住父亲不撒手。

她大声骂他。

李百义突然明白了。他的笑容收敛。这时的李百义才意识到自己对于女儿的重要性。女儿的激烈反应让李百义明白，今后，他所作出的任何决定，他的每一步行动都不再是他个人的事了。

李好的泪水湿透了他的肩。李百义轻轻地拍女儿的头，说，我不是在这儿嘛……别哭，啊。

李好喊，你为什么到处乱跑，混蛋……

李百义知道女儿说出这样的话，是完全受惊了。他低声说，我混蛋，啊，爸爸混蛋……爸爸保证不乱跑了。

李好抽泣着……

李百义轻声说，我不会离开你，放心……啊？

这一句"我不会离开你"李好听懂了。这是他对她的回答。也是对那个故事的交代。对于一个爱上父亲的女儿来说，一切失而复得了。

但李好心中的疑惑仍在翻滚。现在，那个重担好像突然从李百义身上转移到了李好身上，她被这个担心压得喘不过气了。

她品尝到了父亲感受过的独自承担秘密的孤独。

又过了一周，李百义在文房终于待不住了，他向女儿提出要回黄城。虽然他再三解释不是要离开她，成天不工作的休闲生活使他不堪忍受了。他还有很多事要做。但李好仍把这种要求看做一种危险。好像只要一分钟看不到李百义，他就会从空气中消失。

现在她必须作出一个决定。

她想到了陈佐松。

她对李百义说，行，我们今天就回黄城。

如果李百义是她的父亲，陈佐松就是她的叔叔，至少李好是这么认为的。她知道陈佐松跟父亲的关系好到什么程度，但她对陈佐松是否了解父亲的故事仍无把握。如果她向陈佐松讲出父亲的故事，她相信陈佐松不会对父亲构成危险，反而会有所帮助，但父亲是否愿意她向另一个人吐露一切？

她矛盾极了。

也许陈佐松早已知晓秘密，而她才是最后的知情者。这种情况是常有的。她或许可以先去征询一下父亲的意见。可是她马上否定了自己的想法，这样可能使问题复杂化。如果她真的去找陈佐松，引起的意外危险同样可能是致命的。但如果她不去找陈佐松，就失去了唯一的一个最可能的依靠，而她一个人是无法解决这个事情的。

李好陷入痛苦的深渊。

周四，李百义收拾东西回黄城了。李好阻拦不了他，只好和他一起回去。她强行把父亲再度送进医院，他的确百病丛生，有足够的理由住院，李好这样做是利于监管他。李百义没有办法，只好答应再住几天，复查一下身体。

李好不能再等待了。她决定找陈佐松说明情况。陈佐松是一个律师，他知道应该怎么做。

她给陈佐松打了一个电话，约他到家里来，陈佐松正在开会，但李好强烈要求他停止开会，有要事相商。陈佐松脑中侵入不祥预感。

他赶到李好家，发现她竟坐在沙发上抽烟。他从来没见过她抽烟。他说，好好，出了什么事？你慢慢说。

李好把父亲讲的故事重新讲述了一遍。她没有讲细节，但她讲完时，时间已经是傍晚了，红红的斜阳照在陈佐松因惊异而变得僵硬的脸上。她知道他对此一无所知。

……好久，他才说，你给我一天时间，我冷静冷静。

李好说，他现在被我困在医院里，不知道会出什么事。你要快点儿。

陈佐松说，给我一支烟吧。他点上烟，说，事情太突然，我的头快爆炸了，你让我整理一下思绪，好不好？两天，我需要两天时间。

李好说，好吧。

陈佐松说，你放心，他不会跑，他要自首，他就不会告诉你。

……陈佐松匆匆离开了。

第二天上午，陈佐松给李好打手机，约她在她家见面。陈佐松见到她的第一句话就是：不是不自首，也不是他去自首。

李好问，那怎么办？

陈佐松说，我们帮他自首。

我们帮他自首？李好重复了一句。

他已经疲倦了。陈佐松说，我能猜想他的心情。他把事情告诉你，又没去自首，我现在还不能知道这是什么原因。但我们能做点什么。

李好双手掩面，哭了，他会死的……

陈佐松说，我是律师，我要说，不自首，才有可能会死，只要有一天被发现，他就要承担故意杀人罪。如果自首，加上他的案情特殊，有可能越过死刑。

不！李好突然大叫一声，不要拿他的生命去冒险！

陈佐松说，冷静点儿，好好。如果他不自首，是一定死。如果自首，有可能不死。

李好说，他不想自首，他要自首，他就自己去了。我们不要把他送进地狱。

那你找我干什么呢？陈佐松问。

我后悔了。李好摆摆手，说，这事到此为止，我相信你会保守秘密，到此为止。

陈佐松怔怔地看着李好，她在轻微颤抖。

行。陈佐松说，此事……到此为止。

警 察

李好登上了东行的325普快列车。火车钻过一个又一个的山洞，使黑夜变得没完没了，极其漫长。当然，这只是一种想像。但在李好的心里，这种等待比黑夜还难受。窗外，丘陵如同波浪一样在她的视线中起伏，似乎它才是运动的主体，而火车只是一条盘踞的静物。

车上十分喧闹，旅客们习惯于大声交谈，好像只有这样才能压抑车轮和铁轨的碰撞声。小贩颈上挂着装满食物的篮子吆喝兜售，脸上爬满马上就要滴下来的汗水，脸色中透着可怜的盼望……这种表情李好很熟悉，因为她小时候就干过这个。她是个孤儿，有三年在铁路沿线游荡的经历，她被迫跟在一群半大的男孩子身边，为他们望风，或者充当假残疾乞丐，把小腿和手臂藏在裤子里面。一天下来，她的手和小腿都变白了，毫无知觉，走路四肢发软。她拒绝继续充当乞丐，被安排练习做小偷，她的手要伸入滚烫的开水中夹出一块正在融化的肥皂……这样一遍又一遍练习。然后她挎上篮子在车上兜售小点心，伺机偷窃。

就在这一天她遇到父亲。她的手伸进了他的裤兜，他发现了，用眼睛盯着她。她也用眼睛盯着他，四目相对，他没有吱声，只是看着她，终于，她回避了。这时车停了，她转身下车狂奔，李百义追赶在后面，追到车尾处一间开水房的墙角他撵上了她。她蹲在地上，这时李百义看见了她的裤子破了，露出白白的屁股。

他突然想起来，自己见过她。那时，她一边扒着从他手中抢来的盒饭一边奔跑，露出白白的屁股。可是她忘记了。

李百义的眼睛湿了。就在这一刹那，她看见了这奇怪的一幕，这个男人面对着她流了眼泪。他从兜里掏出她刚才偷的钱，放进她的篮子里。他说，姑娘，回家，把裤子补一补。啊。

她看他转身离开。这时，她已经明白了一切。她突然做出了一个奇怪的举动，追上去把钱塞回他的裤兜，他又掏出来扔进篮子，她又拿出来塞回他的裤兜……这时，已经有人在喊她了，他们发现情况不妙。这时，李百义做出了一个更奇怪的举动，突然抓住她的手奔上车。很奇怪的是她并没有惊慌，而是任由他牵着上了列车。

他把她带到他的卧铺，拿出毛巾让她洗脸。又拿出自己的一条衬裤让她换上。然后把她带到餐车，为她叫了一桌菜，她吃得精光。她明白这个人在发怜悯心，所以她觉得安全，但并不完全信任。李百义把他的床让给她，她困极了，一会儿就睡死过去，在车上度过了深沉的一夜。

她醒来时，看见他正在啃吃她篮子里的面包。她心里产生一种异样的感觉，这是她多年来没有见过的一幕：那个本来陌生的男人正在毫无顾忌地吃她篮子里的面包，他难道不知道这是她的东西吗？可是他好像在拿自己家的东西一样。

从这一天开始，她正式成了这个男人的女儿。李百义给她取名叫李好，意思就是一切都要好好的。好，代表这个世界上的所有正面事物，人品好，前途好，身体好，一个好人，这是对人的本质最通俗的描绘。实际上李好也是这样来评价作为她父亲的这个男人，这是一个好的典型，是爱的榜样。他对她的爱超乎她的想像，这是自从她成为他的女儿之后的记忆。这种完全可以被称为溺爱的爱没有平添他作为父亲的自私，完全在义父的义上显示出一种超人的特质。

有一次她患了小小的感冒，李百义甚至帮他洗她的月经带。那一次是她的初潮。这让她感到奇怪，无法理解这个男人的感情。可是后来她就明白了，这个男人没有怪癖，他只是爱她。他是这个世界上最有爱心的父亲。

可是现在，李好却登上了东行的列车，去执行一个特殊的使命，把父亲送上法庭。她要去的地方就是李百义枪决那个人的地方。她靠在车窗上，痛苦仿佛已经把她研磨了千万遍。但这是结束这个痛苦的唯一方法，至少陈佐松是这么说的——这个律师用了两天时间来说服她，目的只有一个，让她作为亲属身份去报案，以取得自首的情节，据说这是挽救李百义生命的唯一方法。

起初李好强烈拒绝这个危险的做法，因为她没有在父亲嘴里或行为中得到任何自首的暗示，或许他根本不想这么做。他告诉女儿自己的经历只是出于另一个目的，一种生命上的联系的恢复，这只是血缘的某种暗示……陈佐松却有另一种说法：李百义没有信心自己投案，所以他作了一种最巧妙的暗示，让女儿促成整个事件的结束。

陈佐松曾试图让李百义对他说出真相，由此他邀李百义喝过几次酒，让他诧异的是李百义和过去一样，没有任何异样的反应，好像什么也没发生过，那个插曲只是他跟女儿的一次心灵对话，和外人——是的，在这个事件上陈佐松是外人——无关。但陈佐松宁愿把它理解为一种怯弱，面临生死几乎每一个人都是怯弱的，正如有些藐视死亡的人所说的：我不怕死，只是不想和它有什么关系。这是回避的最正当理由。但是，如果和李百义正面交锋，事情可能搞砸。所以，陈佐松经过缜密的法理判断，决定利用李好的单纯，绕过当事人李百义，强行执行一个大胆的计划，通过亲属的代行报案，可视为自首情节。加上李百义的犯罪动机和原始成因，料可从轻处罚，或可免于死刑。这是最好的结局。

李好登上了火车。她靠在车窗上，一个人望着窗外，眼泪不知流了多少遍。她无数次地想像着自己如何把警察带来，父亲登上囚车，回头向她投来疑惑一瞥的画面。可是这比另一幅画面更让她平静：父亲被押解到一片雪地上，就在一列停着的火车旁，子弹穿过了他的头颅，鲜血慢慢流到雪地上，热的血融化雪块时发出嚓嚓的垮塌声。

李好向父亲说，她要到南方出差，她的谎言很快得到父亲的相信，这不禁令她发悚。一向聪敏睿智的父亲如此轻易地相信她，而且为她准备好行李。他总是事无巨细地为女儿准备东西，这是从女儿读书开始养成的习惯，连铅笔都一支一支地为她削好，摆在文具盒里。现在，他为她准备好行李，连卫生棉都塞满了旅行包的外袋，这一点儿也不令她难为情，这是这一对父女的特殊默契。当初李百义收养她不久，她正面临初潮，习惯于流浪生活的她就用一块不知从哪里弄来的卫生带，垫上草纸了事。有一天她放学回来，看见父亲正蹲在那里洗她的卫生带。她跑出门外，一个人蹲到野地里哭，然后发呆到傍晚。从那一刻开始，她爱上了这个男人。

她回来后，父亲已经把卫生带晾在阳台上。然后父亲把她叫到跟前，让她以后不要再使用卫生带了，他把一大包卫生棉放在床上。这是她第一次使用卫生棉。此后，父亲为她买卫生棉已经成了习惯，他知道什么样的卫生棉适合她。什么牌子的卫生棉是最好的。他给她买的东西都是最好的，包括卫生棉。而他自己穿的拖鞋是破的，带子断了，就用订书机订上，还穿在脚上。

临行的那天晚上，李好一夜没睡。她的心中苦楚到了几乎要死的程度。她希望父亲发现她的秘密，突然跑过来制止她，这样她也许能解脱。但对面房间没有动静。半夜听见了响声，她来到阳台上时，发现父亲也坐在阳台上，他们四目相对，有些尴尬。她的心要蹿出喉咙，可是父亲没有说出那句话，他让她早点睡觉，不要误了明天的车。

李好知道那是一种心照不宣。父亲明白女儿在做什么，他只是静观其变……李好宁愿这样想，因为这种想像会令她心里好受些。这意味着父亲是这一计划的同谋，他是同意女儿这样做的。这对李百义也是一种解脱。

火车已经开出隧洞，行驶在一片小平原上。她看见了广阔的草地。有一群绵羊在弯腰吃草。

这一幅画面给李好带来一种奇异的宁静。因为当年父亲在逃亡的火车上，也看过这样一幅画面。她相信这就是同一个地方。

即将调任市第一看守所所长的孙民接到了一个新任务，这个任务有可能使他新职的上任延宕一段时间，但他无法拒绝。这个任务和他有关，是他在十年前处理的一次未终结的案件。嫌犯十年前像在空气中蒸发了一样，从此杳无影踪，使这个有着十几年刑侦经验的老手受挫。孙民长着不高的个头，沉默寡言，眉毛粗重，相貌堂堂，一双忧郁的眼睛使他看上去不像个警察，反而像警察的对手。这么说吧，他长得跟一个著名演员惊人的酷似，就连他懒洋洋的办案风格都和那个男演员在《花样年华》中的表演一样，充满了一种颓唐和萎靡的气息。

他爬上了一辆破旧的切诺基吉普车。这是他可笑的坐骑，有时会因为一些小故障让他非常尴尬。有一次他参加省厅的会议时，在停车场的众目睽睽之下，电动车窗失灵，他摆弄了半天也无济于事，只好满头大汗地把车里的重要文件清理下来。他的同事们都开着丰田佳美以上的轿车，只有他例外。但这是他自找的，他在十年前的那次事件中吓破了胆。那个从他手上溜掉的人曾令樟坂的贪官失色。那是个令人记忆犹新的强烈地震，平均十天就有一个贪官落马，以至于人人自危，但公安局受到纪检的制约，没有及时打掉这个团伙，酿成科长钱家明的死亡。

这个案件带来上层的震动，开始下决心铲除这个团伙。但孙民没有能够抓到他，那个奇怪的称号为"群众"的凶嫌。但另一件更奇怪的事情也随之发生，那个团伙随着凶嫌的潜逃也作鸟兽散，此后的数年不再活动。他们唾手可得一个好结果，由此达到目的，便开始搁置案件的调查。但在孙民的心里，这是一个并不光彩的记录。这就像球场上对方把球喂进了自己的球门，让人赢得莫名其妙。

孙民来到刑侦大队办公室，简短地看了卷宗，就开始见报案人。他见到了李好，她化名李惠，神情非常紧张，不断地要求他们从轻处理她的父亲。孙民用了很长的时间向她解释政策，安抚她的情绪。到中午的时候，李好的情绪相对稳定了一些，介绍了基本情况，但无论孙民如何耐心地引导，她始终不愿意说出她父亲的真实地址和自己的真名。但在对方答应从宽处理的条件下，她愿意带他们前往。不过李好要求把从宽处理写成字据，孙民拿出《刑事诉讼法》给她看，李好仍然要求写下字据，孙民答应了她的要求。

写好字据，李好仍然不愿意直接说出最终的地点，她答应一站一站说。孙民只好同意。

他们商量当天晚上乘火车出发。

孙民让人给李好端来了煮好的面条，还有好几盘菜，十分丰盛。但李好只吃了面条。

孙民历来警觉。但这次他觉得懊恼，当他刚听到这个消息时，十年前的记忆突然翻身醒来，兴奋使他不能自已。虽然老婆让他不要再管这种事了，他不这样认为。自从那次失误之后，虽然上面不再追究此案，但对于他个人来说，耻辱的标记使他好几年翻不了身，他当了快十年的老队长了，直到最近两三年才从失败的阴影中爬起来。虽然马上要调任看守所长的肥缺，但那次的失败就是他刑侦生涯的最后一章——后十年他几乎没破过什么像样的案子，只是在拖时间罢了。所以，当他听到有人来报案时，孙民的所有神经都活跃起来了。

可是，一件事的发生，让他像吞了苍蝇一样难受。钱家明的老婆不知从哪里听到消息，急匆匆来找他，要他一定要抓到那个人。她要报仇。她说，她相信她的丈夫是无辜的。孙民觉得奇怪，这么隐秘的线报她居然知道，孙民非常光火，但无从发泄。这肯定是某个局长告诉她的。他本人和钱家明就是同事，他只好按捺下怒火。

孙民带了两个助手，一个叫吴德，一个叫小林，加上李好一共四个人乘当晚的324次西行列车出发。如果记忆无误，李好知道这就是当年父亲坐的那趟列车。

孙民无法知晓目的地，所以只好坐火车，这让他懊恼。因为夜长梦多。李好只想一站一站告诉他们，他们只有听命。上了火车，李好就一个人靠着卧铺的车窗，呆呆地望着窗外。

她想起了什么？是父亲逃亡的火车，还是她当年挎着篮子在车厢间游荡的画面？每当火车停下，她就会想起她下车奔跑时父亲在后面追赶的印象……现在，她却带了警察去捉捕他。李好面对窗外，泪水顺着脸颊流下来。孙民通过车窗玻璃看到了这一情景。

孙民给她端来了盒饭，可是她不想吃。他又下车给她买了烧鸡。她吃不下，只喝了一瓶可乐。

随着换乘站的递增，孙民渐渐判断出地点可能在西部。她的口音也提示这个方向。但李好的情绪越来越烦躁，她好像后悔了。

进入四川境内后，她不再开口说话。这让孙民很着急。他们觉得自己正在朝一个无所谓的地方前进。停车时，她突然要上厕所。就在上厕所时，她失踪了。

孙民立即通知乘警，清查全车，没有发现李好。孙民立即决定下车。

他们在小站找了一下午，在一个集市边上找到了李好。他们立即进行了温和的控制，并苦口婆心地解释政策，保证她父亲的安全。

李好终于说出了下一站。他们立即换乘了一列慢车。

……列车渐渐接近黄城，开始换乘汽车。他们在岷县下榻过夜。李好的情绪再度不安。看样子明天不准备上路。孙民把大家带到一家酒楼吃饭，轻松一下气氛。

回到旅馆，孙民集中大家开会，他分析了现在的形势，向李好说明这个计划的成败对她父亲命运的影响。他说，你现在就是不带我们去，我们也能找到他，如果是这样，情形对你们会很不利。还是善始善终的好。

李好不说话，她的呼吸很急促。汗湿透了衣服。

你们会不会开枪？她突然问道。

我们为什么要开枪？孙民说。

他不知道。她说了真话，他不知道你们来，所以我怕他会紧张。

孙民和其他两位对视了一眼。孙民说，他会反抗吗？

李好不吱声。想了一下，她说，他知道我去找你们，他是自首的，只是不知道你们几时来。

孙民说，为了不发生危险，所以你要配合我们的行动。你千万不要惊动他，只要指出来就好，知道吗？指出就好。

李好说，你们不准开枪。

孙民说，可以啊，但你怎么这么幼稚呢？我们的安全怎么办？如果他身上有武器，你一惊动他，他会怎么做？我们又会怎么做？

李好不吭声了。

孙民说，所以，为了你父亲的绝对安全，你要听我们的，这为你们好，按我们的行动方案，你不能有任何动静，我们就能保护他的安全。

李好说，那你们不开枪了？

孙民说，只要你听我们的，我们就不开枪。

……她说，他住在黄城。

他们立即向黄城出发。

一到黄城，孙民先联络县公安局。当他们到达公安局时，已经是半夜两点多钟。

孙民来到大会议室，领导齐刷刷地都坐在那里了。除了公安局的所有领导，还有政府的主要领导。

孙民向会议说明了案情。全体人员几乎没有一个说话的。他们被这个消息惊呆了。孙民也很奇怪，为什么抓一个犯人会引致这么多县领导出席会议。

陈佐松始终低头，不发一语。

书记讲话。他的话令孙民大吃一惊。他说，李百义的案件令人震惊，因为他刚被提拔为副县长，是我县慈善协会会长，是一个著名的慈善家，政协委员。他为人正直，无私，堪称楷模。在黄城县有很好的口碑，得到老百姓的拥戴，在县领导的民意调查中，得票率最高。想不到他会做这样的事。我们只是觉得有些震惊。

孙民也很震惊。他几乎怀疑找错了人。双方觉得要重新核对一下。他们核对了材料和照片之后，再次证实了李百义就是十年前的杀人犯。

会议不再纠缠了。开始讨论实施抓捕计划。

按理说要抓一个副县长是不难的，通知他来开会就可以了。但李百义情况特殊，他并没有到任，而且平时行踪不定，已经有好几天没见到他了。

李好被带进会议室。她看见了陈佐松。她的眼泪一下子冒了出来。但陈佐松只向她点了点头，示意她要镇静。

会议研究了明天李百义可能出现的地方。他们发现，李百义最近正忙于救灾。他一个人开着一辆松花江牌的救灾车运送粮食，可能会经过南街市场。他需要采购盐巴。

那明天就在南街市场布控。孙民说。

笑　容

抓捕计划出现变数。有消息传来，李百义在抗灾现场由于吃了霉变的馒头，上吐下泻，已经送到县医院洗胃。

专案小组和县领导商量抓捕计划如何实施。有两种意见，以孙民为代表的专案小组建议立刻对李百义实施控制，转移到公安局医疗室，在控制中进行治疗；县领导一方则认为这样做效果不好，可能引起麻烦，建议对医院进行控制，而且不要让李百义本人得知，等他的病情稳定后再实施抓捕。双方起了争执。

专案小组对抓捕李百义可能引起麻烦表示费解。他们有理由猜测李百义可能已经知道了即将逮捕他的消息，所以急性肠胃炎一事也许只是个假象。但这种判断立即遭到县领导一方的质疑，尤其是陈佐松显得激动，他说李百义不会说谎。大家看着他，他似乎有泄露消息的嫌疑。

陈佐松为了自清，终于亮出了此事与他有关的证据。这个消息使在场的人很吃惊。陈佐松简单地把如何与李好商量自首的事说了一遍。他强调，如果他通风报信，他就不会联络李好实施这个计划。

县领导一方同意陈佐松的说法。书记用了很长的篇幅来向孙民一行说明李百义这个人的特殊性。首先，他说明这个人如何在民众中取得这样好的口碑的原因，在于他严于律己，对自己近于苛刻，才导致屡次出现健康问题，他误食霉变馒头和上次误食有毒谷种一样，完全基于他对自己的苛刻，这种事情不是一回两回了，所以县委县政府方面相信此事的真实性，这也是基于他们对李百义长期的观察所得出的结论。书记强调，这种分析不是包庇李百义，而是为了帮助他们更准确地掌握这个人的性质。他们对处理李百义完全赞成和支持，并将全力配合。

孙民隐隐闻到了一种奇怪的气息。不是对抗，而是一种淡淡的遗憾。几乎所有领导在言谈中都不易察觉地表现出一种对李百义的同情或者说敬佩之情。孙民很少见到这种情形：一个人没有对立面，他能赢得几乎全部人的好感，这是很不可思议的事情。

不过从另一种角度理解也很简单：一个无私的人就可以做到这一点。但困难的是，谁能做到无私呢。很多圣贤做到了无私是因为爱，而这个人是因为恨，你会相信吗？那些榜样是圣人，而这个人是罪犯。一个犯罪的人也许会因为忏悔产生爱，但这毕竟是不容易的。从恨到无私之间，是遥迢的路途。

孙民沉默寡言的内向性格使他有别于一般的警察，他不是咋咋呼呼有勇无谋的一类，他甚至常常阅读人物传记，他对现在这个人的分析，使他很重视此案目前已经呈现的某种特殊性。他开始小心谨慎地和县政府一方对话，以取得对这个人的把握。他尊重他们的意见。

你们的意思是怎么办？他问。

书记说，我们尊重你们的计划，我们只是建议说，如何更有把握地更稳妥地办好这件事情。

陈佐松说，现在随时都有大批群众在医院看望和照顾李百义，如果现在执行，比较麻烦。

同来的警察吴德忍不住了，大声说，抓一个人就那么麻烦吗？现在就去医院带出来，我看能怎么着。

他的话使在场的人面面相觑。孙民阻止了吴德，说，好，就按照县委的建议，我们现在布控医院，包括病房的走廊，但不能让人察觉。嫌疑人病情好转，我们就实施抓捕。

吴德说，这样我们会增加多少难度和变数。

孙民说，就这样决定了。

一种神秘的气氛笼罩黄城。在医院，黑汉和黑嫂带了一些群众照顾李百义，他们轮番上阵，用愚昧的方法照料他们的恩人，比如依照偏方，用猫煮草根，硬逼着李百义喝下去。李百义只好照办。只有当他病倒时，人们才有机会让他得到这样的照顾，真正像一个病人休息。平时，他却像一匹马那样操劳。

李好自从回黄城后就没再露面。她不敢见父亲，也不能见父亲，她被控制在县委招待所，连见陈佐松的愿望都无法实现。她不知道为什么抓捕计划迟迟未能实施。她浸透在煎熬中。

医院已被布控。但没人会注意到那些便衣在周围徜徉。一天过去了，孙民也开始焦急了。陈佐松向他保证，不要着急，明天就可以实行抓捕了。

孙民不明白陈佐松为什么有把握这样说。陈佐松解释，只要不是躺着爬不起来，李百义住院不会超过三天。

果然，第二天传来李百义要出院的消息。孙民和手下的人做好了布置，准备在出院时由陈佐松出面用他的汽车把他接到公安局，这是最舒服的一种做法。李好被要求和他们一起行动。

但果然出了事。他们在医院门口等了半天，没有动静。吴德联络楼上的小林，小林说出事儿了，李百义昨天晚上就办好出院手续，突然不见了。

孙民的头轰地大了起来，非常沉重。他的第一个反应就是，这两天来发生的所有一切都是骗局。他立即让吴德和小林回头杀到李百义家，没有发现他回家。这就说明，李百义已经得悉一切，现在他逃亡了。

县一方领导每个人都哑口无言。他们为自己的轻信付出代价。沉默了好久，书记说，我们会全力配合，缉拿李百义。

县公安局警力几乎倾巢出动，控制了黄城的各个出城路口。但不到一个小时，孙民就接到书记的电话，说李百义并没有逃跑，他的确是昨天夜里出院的，他提前出院的原因是怕有群众欢迎的场面在医院门口出现，他要避开他们。李百义历来不喜欢把他奉为英雄。现在，他回到了抗灾现场，正开着他的破松花江车去市场买帐篷。

孙民立即带上吴德、小林和李好，上车直扑市场。孙民对李好说，你就按我们那天说的做，你指认，我们行动。我们保证他的安全。但你要按我们说的做。

李好说，无论发生什么情况，你们不能开枪。

孙民心不在焉地说，好。

……他们来到市场，把车停在角落。这时，他们发现了那辆松花江。但车是空的。车前面还贴着"抗洪救灾"四个大字的红布。吴德说，他可能是买帐篷去了。

孙民说，我们等一会儿。

他抽了一根烟。小林问，这时候你还抽烟吗？

他知道，孙民在这种时候，从来是不抽烟的。所以他很奇怪。他看见孙民神态悠闲。

吴德说，我下车找一找。

孙民制止他，不要，就等着。

在孙民心中，突然有一种奇怪的感觉升上来。这是在他几十年的侦探生涯中从来没有过的。他第一次丢失了紧张感，而代之以一种轻松的胜券在握的感觉。

吴德说，孙队，你把枪拿好，恐怕他有武器。

孙民笑一笑，没必要，你们也不要拿武器。

小林问，为什么？

孙民说，他没有武器。

……烟抽完了。李百义终于出现了。

他扛着一大捆东西，看上去就是帐篷。

吴德问李好，是他吗？

李好的眼泪一下子涌出来，点点头。

孙民对小林说，我和吴德下去，你留在车上。

孙民和吴德下了车。小林抬起了摄像机。李好哭得弯下了腰。

李百义把帐篷放在车上，走向车门。当他打开车门时，孙民和吴德已经来到了他的面前。

他微笑地向孙民和吴德点点头，想上车。这时，孙民问道，你是李百义吗？

李百义看了他一眼，说，我是李百义。

吴德问，你是马木生吗？

孙民说，我是樟坂公安局的。

这时，他看见李百义的表情有稍微惊异一下，然后有几秒钟的停顿，好像在想明白现在发生的事情。很快，他明白了。李百义点了点头。

我是马木生。他重复了一句。似乎在帮助孙民证实他的身份一样。说完，友好地向他们弯了弯腰。

他伸出了手。吴德给他上了手铐。

李好已经哭得大泪滂沱。

孙民和吴德把他带往旁边另一辆早已停好的面包车时，民众已经发现了，他们围过来。在从松花江车到面包车几步远的距离，大家惊异地发现，李百义的脸上突然放出了非常灿烂的笑容。这个笑容被记录在小林的摄像机里。

孙民也看见了，在李百义跨步上面包车的那个瞬间，他突然回过头来，脸上出现极为灿烂的笑容。他从来没有看到过这种场面，一个罪犯在被逮捕的那一刹那，基本上是只有两种情况：一种是垂死挣扎，惊慌失措；另一种就是束手就擒，垂头丧气，脸色僵硬。

但这个人却露出了这样的笑容。这使孙民有些难堪。而正和这种笑容形成鲜明对照的是，吴德在李百义上面包车时，突然狠狠地在他后背推了一下，使得李百义的头在车顶磕了一下。但他没有感到痛，仍然保持脸上的微笑。这使得吴德的粗鲁动作被凸显出来。吴德的动作在一般实施抓捕中是常用的动作，可以起到威慑作用，但今天李百义的微笑使得吴德的动作显得粗鲁和没有必要。

面包车开动了。孙民和吴德一左一右坐在他的身边。三个人都没有说话。李百义还往左靠一靠，以便让吴德坐得轻松些。但吴德直视前方，不发一言。

面包车来到公安局。李百义被带到一间大会议室，被控制在墙角。他坐在一张藤椅上。手铐的另一只铐在藤椅的扶手上。

他说，我早就在等这一天。

孙民点点头。

李百义说，我知道你们一定会来的。

孙民又点了点头，他没有工夫和他说话，忙着往回打电话，报告这边已成功实施抓捕的情况。

然后，他在李百义对面坐下来，看着他。

李百义对他笑一笑，点头，说，谢谢您。

他不知道说什么好，也向他笑笑。突然李百义说，我的帐篷呢？还有车。

孙民这才想起，他问吴德，吴德说不知道。

李百义说，麻烦你们把帐篷送到……我给你们写一个地址。

孙民犹豫了一下，给他解开了手铐。李百义写了一个地址和名字。

你们把车和帐篷交给他。他说。

孙民说，行。

孙民仔细地观察他，他真的在这个人脸上看不到一点紧张。不过，他有过这样的经验，在他抓过的潜逃时间较长的逃犯归案后，在看守所的第一夜大部分都睡得很好，因为长期的逃亡已经摧毁了他们的意志。他们需要归宿。但像李百义这样在抓捕现场直到现在仍平静如常的人实在少见。

这引致孙民对他的态度转为和蔼，似乎这样才符合礼貌。这是一种奇怪的对峙：因为罪犯显得过于镇静，不由得引起警察的注意。而罪犯的善意似乎也引发了据于优势一方的控制者的善意。所以，孙民对他凶不起来。

孙民对李百义说，你能配合很好，这样对你有利。

李百义说了一句让他感到奇怪的话，他说，是，让你们辛苦了。

孙民给他倒了一杯水，他说，谢谢。

吴德冷眼看着李百义，嘴角透着嘲讽。

……接着开始预审，原先预料的突击预审需要一整夜，但李百义对所犯罪行供认不讳，他详细地说明了杀害钱家明的整个过程的所有细节，并在笔录上签上了自己的名字。

但他没有说明为什么杀害被害人，一句话也没有。

孙民没想到会进展得这样快。他问李百义还有什么话没有。

李百义说，慈善协会的工作我已作交代。麻烦你们告诉我女儿，不要着急。不要跟我走。

孙民说，我们会转告她。

他舒了一口气，决定明天上午离开黄城返回。

孙民第二天上午醒来的时候，听到外边传来异样的喧嚣。公安局的白副局长来告诉他，可能出了一些麻烦。

他被领到楼上，这时他看到了公安局门前聚集了上百人。公安局的门都被围住了。他们打着旗子和横幅，上面写着：李百义没有罪。地上也用粉笔写了字：他是好人。

孙民半天没有吱声。他意识到会议上那些人的担心变成了事实。他很后悔昨天晚上没有连夜返回。

白副局长让他别着急。他们正在处理这个事情。只要等上一个钟头，他们就可以上路。

吴德说，肯定是他女儿搞的名堂。她这人很讨厌。

孙民不这样认为。如果是李好的意思，她就没必要来自首。他吩咐加强对李百义的控制，以免出什么意外。

……可是外面的人越聚越多，到了中午，可能有上千人了。但在这些人当中，没有李好的身影。

李好在父亲被抓捕后，回到了家。她惊异地发现，父亲已经把桌子和床整理得整整齐齐。这是李百义从医院返家后做的事情。他的所有衣服都叠在床上了，手表也脱下来了。存折也放在衣服上。但存折上的钱不多，只有三万块钱。

李好还发现，她的抽屉里，也塞满了她最爱使用的超薄卫生巾。

她扑倒在床上哭得死去活来。

到了傍晚，孙民一行还没有办法行动。他显然着急了，爬上楼顶，发现楼下的人已经聚集了至少有两千人。他们不再高喊，只是站在那里，要求见李百义。白副局长喊破了嗓子。他们忙得焦头烂额，但无济于事。

县领导过来了，商量事情怎么解决。陈佐松说，我去说说看。

他来到大门口，对大家说，这个事情请大家要冷静。李百义很安全，他没受到伤害。他已经对他所做的事供认不讳，所以他愿意来负责。那是他十年前犯的错。我们知道人不可能不犯错，犯了错就要负责，他也愿意负责。你们的心情，我们可以理解。但这是两回事儿。

底下有人喊，他没有错，有人栽赃。陈佐松看到了，喊的人是黑汉。

陈佐松想了想，回到楼里，对大家说，没办法，他们不相信任何人的话，除了李百义。

书记说，你的意思……

陈佐松说，只有让他出来。

书记问孙民，可以吗？

孙民沉默了一会儿，说，陈副，你先跟他谈一谈，让他言简意赅吧。

陈佐松说，好。

他走进会议室，看见了李百义。李百义坐在藤椅上，表情很忧郁。

陈佐松说，身体怎么样？

李百义说，没事儿。佐松，我们要分别了。

陈佐松说，百义，好去好回。

李百义点点头，问，外面怎么样？

陈佐松说，可能你要去说两句。

李百义想了想，说，好……请你告诉孙队长，准备一辆汽车，我们先坐上车，他们一散出个口子，我们就走。

吴德把李百义带出去了。陈佐松把李百义的意思告诉孙民，孙民说，好，就用你的汽车，然后准备一辆三菱在指定路口更换，我们就全程坐汽车回去。

李百义出来了。他看到那么多人时着实吓了一跳。他的眼睛湿润了。

他什么话都没说，突然跪了下来，朝人群磕了头。人群骚动起来。

他站起来，说，我把这么大的罪向你们隐瞒那么久，对不起……

人群中很静。他说，你们回去吧。

人群中没人吱声。

李百义最后说，你们回去吧。我会回来。

他向他们笑了一下。吴德把他带进去了。

人群慢慢散开了。有人哭了起来。

回　家

　　终于摆脱了群众的纠缠。孙民带着李百义借了一辆当地挂民用车牌的三菱吉普上路了。孙民和吴德在后座把李百义紧紧夹在中间，小林当司机。刚出城的时候，大家都很紧张，谁也没说话。直到走出一百多里地，才缓口气儿。

　　李百义上了手铐。孙民本不想这样做的，他习惯于和犯罪嫌疑人维持一种不过于紧张的关系，这是为预审效果考虑。但李百义是要犯，出于对混乱局面的担忧，他给李百义戴上了手铐。李百义很配合，他的脸上始终带着谦虚的笑意。

　　吴德要小便。他们把车停在一棵树下。这时，孙民问李百义是否要小便？李百义摇摇头。孙民一直在观察李百义，因为这是他遇见过的最特殊的犯人，且不说他在当地的口碑令人吃惊，就拿离开时的突发情况而言，如果李百义不出面劝说群众，局面不知会发展成什么样子。孙民没想到李百义会愿意出面劝说群众，这不符合逻辑。这是个怪人。他想。

重新上车的时候，他递给李百义一瓶矿泉水。他拿着很不方便，打不开瓶盖儿。孙民想给他打开瓶盖，后来他索性用钥匙打开了他的手铐。

谢谢。李百义说。

吴德看了孙民一眼。孙民好像没瞧见。

他跑不了。如果他想跑，他就不会去劝说群众。孙民想，这是最简单的逻辑。

李百义喝完水，自己把手铐卡嚓一声扣上了。孙民和吴德都吃了一惊。孙民有些好笑。

孙民用余光看他，现在李百义大概犯困了，歪在后座上睡着了。不一会儿，他就打起了呼噜。他打的呼噜不很大声，所以听上去不粗俗。但看得出他睡得很沉，他大约真是困了，后来呼噜声消失了，一动不动像死了一样。

吴德笑了一声，说，操，他还能睡得着。

孙民没有吱声。

孙民帮他取下手铐。他谈不上对李百义有什么好感，只是觉得他特别，他对李百义比较温和，也许是对他配合撤离的一种回报吧。不过，这个人真的惹动了他的兴趣，一路上他不停地观察这个人。他打量李百义的全身，发现他穿的是一件西装，这种西装类似于县城地摊上高高挂起贩卖的那种衣服，最多七十到一百块钱一件，甚至连西装领都没烫平，像油条一样膨起，好像里面有好几颗鼓起的黄豆。西服的下摆边儿都翘起来了，绷开的线头呲着，就像一个民工穿的衣服。

孙民想，这种打扮要骗取人心是很有效的。

可是接下来孙民看到的情形让他心抽了一下。他看到了李百义穿的鞋。他一直没去注意他穿的鞋。现在他发现，李百义穿的皮鞋质地并不差，但两只鞋不是一双的，有轻微的偏差，一只的头尖一些，另一只就没这么尖。它们的后跟也不一样，一只的后跟是贴皮的，另一只不是。如果不很仔细还真看不出来。

孙民思忖，他怎么会穿这样的鞋呢？他的心里渐渐升起一种让他很难受的想像：这是一双捡来的鞋……如果是这样，孙民感到很不舒服。现在，眼前这个人睡着了，但他睡得很熟，一点儿也不惊慌。这个家财万贯的人穿着这样一双不一样的鞋子，这可不像是装的，显然他想让这两只鞋更接近一些，所以不仔细看还发现不了。

孙民产生一种奇怪的自尊心的痛楚。一个有钱人这样对待自己，竟让他很不舒服。这种不舒服不是来自于一个人对他炫耀金钱，恰恰相反，来自于他的俭朴。

孙民闭上了眼睛。那种不舒服的感觉不是对这个人的讨厌，恰恰相反，一种吸引孙民内心的东西在悄然滋长，这是危险的。虽然他抓过很多让他不讨厌的人，但从来不会因此扰乱内心，以至于影响他办案的客观性。孙民是那种内向而冷静的人，你说他冷漠也可以，所以他不会感情用事。但眼前这个人不同，他的行为在最真实的层面上拨动了孙民的内心，至少令他开始仔细观察和思考这个人的一举一动。

他开始承认他对李百义有些微的好感。他喜欢那种遇事冷静、果敢、对自己做的事负责的人。李百义出来劝说群众一事，说明他是一个负责的人。

他想着想着，也犯困了。不一会儿，他竟像李百义一样，打起了呼噜。吴德看了他一眼，摇头。孙民睡觉，他就只好睁着眼。结果孙民一觉睡了三个钟头，吴德困死了，连个替换的人也没有。

李百义真的睡着了。他睡得很沉，尽管车子晃得厉害，他仍然睡得死死的。他太困了，现在，他需要睡一觉。

此前一周，李百义几乎夜夜失眠。他瘦了一圈，脸尖得像猴子一样。李百义无法肯定女儿是不是去做那件事儿，但他作好了准备。这种准备说是事务上的，毋宁说是精神上的。他虽然为此准备了十年，但始终没有自己站出来，结束这个重要的事件。这里面有深刻的原因，连他自己也说不明白，为什么会有今天这样一种结果，不过，也许这是最好的方式和圆满的结局。

现在，他在摇晃的车上睡着了。李百义曾经想过，有一天他如果坐上返回樟坂的车，他一定会做同样的梦，梦到那片像草原一样的山坡，上面有羊儿弯腰吃草。可出乎意料的是，他一上车就睡着了，睡得挺死，他太困了，什么也没有梦到，只是呼呼大睡。

这是他期盼已久的睡眠？这睡眠应该看成是心灵的安宁。在这种安宁中，不需要动乱，不需要冲突，只需要安宁。因为冲突已过，一切都结束了。现在，他没有任何负担，所以可以睡觉了。如果人死后需要天堂，那天堂的主要内容就是安宁。如果睡觉也能模仿死，那么睡觉里面没有梦是最好的，睡觉就是睡觉，跟死了一样。这样看，死并不可怕。

李百义可能到现在才享受到这种货真价实的睡眠。这十年来他常常夜不成寐，不是像一般的罪犯那样，因恐惧而睡不着。自从他从火葬场的炉门口爬出，他就对死亡和恐惧有了一种免疫力，他不再那么害怕死亡。但他总有一种心情，有一件重大事件没有解决，它像一块石头一样挂在他的身上。

李百义的梦中有时会浮现钱家明死前的哀鸣。他说，我没有杀你父亲，你真的弄错了。李百义不相信，但钱家明声嘶力竭地发誓说，你真的弄错了。你难道不会弄错吗？你弄错了怎么办？

你弄错了怎么办？这个问题在五年前并不是一个问题。李百义相信自己是正确的，他的人生哲学是尽可能地做正确的事，从不亏待别人，也不欺凌别人。还要对人有益。这就是他的公正。李百义的公正。

大约从五年前开始，李百义开始受到内心深处一种纤细的质询：那天晚上发生的枪决案是没有瑕疵的吗？他知道，那是一个奇怪的晚上，一个白以为义的青年，用自己的法律宣判了一个人的死刑。他自己拥有足够宣判那个人死刑的证据。它具有合法的手续，虽然作为个人，杀死一个人是如此艰难，但他终于完成了这个过程，并使这个过程多少消弭了复仇的色彩，而增加了公正性。但从五年前开始，李百义的梦里常会遇见那个被他杀死的人。那个人不一定叫钱家明，但长得是他的样子。他说了另一个什么名字。这个人老挡住他的去路，逼他还钱。这个梦很搅扰他，傻瓜也会解这个梦。李百义起先并没有在意，但后来这个梦渐渐化为一种思想，在白天的时候有时也会突然蹿上来，质问他，你有什么证据一定没有杀错人呢？

李百义会用另一种说法来使内心平安，比如，法院也有时会错判死刑。但这种托词是一时的。问题并没有解决。李百义杀人事件的原因恰恰在于他不信任公正，所以他自以为义，宣判那个人的死刑。他不能以别人的不公正为自己可能存在的错误辩护。这是显而易见的。李百义知道这说服不了自己。他必须让自己达到百分之百的公正，才能使良心平安。对于他这种人来说，只有良心平安才能活下去。

现在的问题是，李百义是绝对公正的吗？也就是说，他有没有百分之百的把握没有杀错人？如果有，那个人是罪有应得。可是，李百义没有绝对把握。问题就出现了。那个人虽然死了，好像仍然活着，他总是来找李百义，说，你难道不会弄错吗？

李百义开始动摇。接着痛苦也如约而至。这是杀人五年之后开始的痛苦，不是为被杀的人，而是为自己。对于杀人勇气，只要有仇恨就可以了。可是对于自己的公正的良心，还远远不够。因为人的心是一条河流，所有的行为都源于人内心的河流深处。现在，当所有人都在赞扬李百义的时候，却有一个人老是像影子一样跟着他，问他，你弄错了怎么办？

李百义就是那个钻牛角尖的人。如果他不钻牛角尖，十年前的很多事就不会发生。现在他也不会进入这种阴影。不是怕死，而是怕不公；不是怕别人不公，而是怕自己不公。在他看来，别人不公不会像自己不公那样令他痛苦。别人不公可以用仇恨、离弃和蔑视来对待，可是自己不公却无法离弃，因为人无法离弃他自己的心。

现在，他在车上睡着了。睡得很沉，他真的睡着了。那个无法解决的问题还没有解决，但已经进入解决的进程，他至少放下了一半的担子。他可以对那个质问他的人说，现在，我交出了我自己，让命运引导吧。咱们一人一半，来负这个责任。现在，让我睡一觉。

只有在看到女儿的时候，李百义才会产生一种轻松感。他把溺爱女儿当成一种休息。他在任何事情上都讲原则，但在女儿的事情上毫无原则。他曾让公家的车载着女儿在城里兜圈子达一整天之久，带女儿上最好的饭店吃鱼翅，那是李好第一次吃鱼翅。她不知道这是什么东西，李百义说这是粉丝，她就说，这个粉丝很好吃，我还要一碗。

李百义说，好，那就再来一碗。

李好吃完了，说，我还要再吃一碗。

李百义说，行，再来一碗。

李好又吃了两份。

李百义问，吃饱了没有？

李好说，吃饱了。

当时的服务员都看呆了。李百义自己没吃过鱼翅，但他一口也没尝。付完一千块钱后他就走人了。

这事曾一度传开。奇怪的是，很多人不相信，只当做谣言看待。没人相信李百义会这么浪费。李好后来知道吃的是鱼翅时流了眼泪。不过，她只不过把这当做是父亲爱她的表现。她并不明白父亲为什么在对她的事情上如此的毫无原则，而对自己的生活却像对仇敌一样苛刻。

他穿最简单的衣服。吃最粗陋的食物。干最苦的活。泥石流那一次抗灾，他被陈佐松逼迫休假，由一个副县长代替他值班。可是他刚回家一天就待不住了，这常常被当做模范人物的典型事迹。可是李百义赶回现场后非要让那个副县长回家休息，那个人不想回家，李百义硬要他回家，两人几乎要发生口角，后来副县长拗不过他，被李百义的手下强行用车送回家。副县长回家后骂骂咧咧，他唯一的一次立功机会让李百义毁了。结果半夜就发生更大的泥石流，差一点把李百义弄成瘫痪。

有两种说法流传：正面的说法是，李百义救了副县长一命。反面的说法，李百义又抢了功。但这种说法在一个月后不攻自破，在表彰先进个人时，李百义把本应属于他的荣誉让给了那个副县长。人们这才看出，李百义对荣誉视如粪土。但他们却找不出李百义的行为动机。每一个人的行为都是有动机的，或公开或隐秘，或光明或阴暗，总有他的动机可循。但在李百义身上，你找不到它。

终于有一种猜测浮现：这个人是工作狂。这可能是一种病，如果停止工作，患者都要生病，甚至死亡。这种人通常是用工作来虐待自己，使自己劳累到极点，来维持内心的平静。

只有李好看到了真相。这个真相就是：当李百义累得快要倒下去的时候，他回家会拉着女儿的手笑着转圈，然后问，爸爸对你好不好？

李好说，当然好啊。

李百义问，怎么好啊？

李好说，好好啊。

李百义就大笑，又问，好好还怎么好啊？

李好说，好好好好好啊。

李百义开心极了，说，这么多好好啊？

李好说，都是好好，就是我啊，我就是好好啊。

在这种时候，李百义就会忘记那个梦。在他看来，女儿说的比那个鬼魂的质询更真实。如果恨带来公正已遭质疑，那么爱带来的公正可能更可靠些。

……李百义真的平安了。就像现在，他在车上总是睡觉，好像要把这十年来缺的觉都补上。醒来时车子已经停了，孙民叫他下车吃饭的时候，他还没有完全清醒。

孙民说，睡得好吗？

李百义说，睡得好，谢谢。

孙民想了想，打开了他的手铐。

他们在饭店的楼上包间吃饭。吴德讲了一个笑话，有些黄。大家笑了一下。开始剔牙缝。

重新上路的时候，孙民不再给李百义上手铐。吴德不好说什么。车又开了三小时，孙民继续睡觉，吴德很光火，孙民不理会他。吴德无法理解，孙民为什么对李百义那么放松。

实际上孙民并没有完全睡着，他有一半时间在想。想什么呢？他在想这是一个什么样的人。他真的会跑吗？他为什么要逃跑呢？他已经跑了十年了，现在还跑吗？他是孙民见过的所有在逃犯中活得最好的一个，赚了大钱，当了官，竟然还是政协委员，更耐人寻味的是他还赢得了那么好的口碑。那么，这种人如果继续要逃跑，他还能逃往哪里？

孙民突然产生了一个非常冒险的想法：这个想法真的很离谱，但孙民有把握不会出事儿。他想在余下的路途中有意放松对李百义的监控，看看他会怎么样。

几个小时后，大家下车小便休息。李百义没动静，孙民对他说，下来吧，小便去。

李百义下了车。大家到树林里小便。吴德和小林看着李百义走到比较远的一棵树下小便，都面面相觑。孙民轻声说，别管他，跑不了。

他们开始在树荫下打牌，孙民问李百义打不打，他说不会打。孙民说，我们打。然后他们打起牌来，把李百义一个人晾在那儿。他站着不动。

孙民对他说，你走动走动，不要走远。

李百义还是站在那儿。后来他上车了。

吴德说，孙队，你这是在干什么呢？

孙民说，三个人还对付不了一个人？打牌。

实际上这时候孙民已经受制于心中一个十分吸引他的古怪念头，他根本没把握李百义会不会真的逃跑。这像一种致命游戏，孙民很想玩一玩。因为这个人太吸引他了。孙民想冒一个险，如果他放松李百义到一个临界点，这个人仍然不跑，那么有一个他预想的结论会出现。这种期待的吸引力大大超过刑侦的魅力，这是孙民从来没有经历过的心灵过程。他要试一试。

所以他打牌打得很不安心，一会儿就用眼角的余光瞟一眼车上的李百义。结果他老输牌。后来他觉得这是多此一举。孙民一旦集中精力，马上就赢了。

可是他赢了两局后，回头看车上时，头突然像是被敲了一棍。李百义不见了。

吴德大叫，操，孙队，看你搞的名堂！

孙民说，快找！

他们分头扑过去。孙民在树林里找了半天，仍没有看到李百义的踪影。那一刹那他觉得自己愚蠢到了透顶的程度，像被灌了迷魂汤一样，做这么冒险的游戏。他瞒过了吴德和小林，却被李百义迷住了。他揍了自己一拳。他想，我这就是中邪了！

孙民垂头丧气地回到车旁，发现李百义蹲在车里。他大骂，我操！你到哪里去了！

吴德和小林也跑过来。

李百义惊慌地看着他，说……我就在旁边买了柚子给大家吃。

孙民这才看见马路下面有一个小摊，在视线死角，其实并不远，李百义去买柚子了。

吴德吼，你哪来的钱？！

李百义说，你们没没收我的钱。

孙民不吱声了。他心里的大石头轰然落地。他想，我的试验成功了！

吴德说，上车，走，走！

他稀里哗啦地给李百义上手铐，另一只还扣到自己手上。

孙民突然问，李百义，你怎么敢离我们那么远？

李百义说，对不起。

孙民说，别说对不起，我在问你，你为什么敢一个人走去买柚子？

李百义说，路还很长，我看到柚子，我想，买几个柚子，解解渴。

孙民头一歪靠在座位上，想，这个家伙根本没意识到他是个罪犯！

这就是真相。

监 禁

　　孙民一行赶到青口时，离樟坂只有一百公里了。这时已是傍晚时分，他们下车吃晚饭。李百义下车时，看到了远处山际有一轮太阳正在降落，它像一只煮得半熟的鸡蛋，在山间波动。李百义大口大口呼吸着空气，他闻到了久违得有点陌生的故乡的气息，相较于黄城而言，这里就是他的故乡。有一种气味是他熟悉的，那就是在清风中微微传送的樟脑的气息。

　　饭吃到一半，吴德发现有可疑的人围着吉普车转来转去。他说，头儿，有人在看我们的车。

　　孙民说，你去看看。

　　吴德出去了一会儿，回来脸色就不对了。

　　孙队，不好，是那边的人，跟过来的。吴德说。

　　啊。跟过来的？孙民重复了一句。

　　吴德说，是，听口音是。

　　孙民感到事态严重。这时李百义往外瞄了一眼，看见了黑汉，他围着车转来转去。

孙民看了李百义一眼，又和小林使眼色，让他控制住李百义。自己和吴德走了出去。

……小林对李百义说，你还挺有能耐的啊。

李百义说，我也不知道他们会来。

小林说，谅你也不敢叫他们来。

李百义说，他们不会做危险的事。

小林看着他，你怎么那么有魅力啊？

李百义不知道说什么好。

孙民回来了，把一大篮东西往桌上一放，说，李百义，这是你的崇拜者送你的东西。

李百义一看，里面有吃的用的，连防蚊液和藿香正气水都有了。

小林问，情况怎么样？

孙民说，说是要给李百义送东西。我看是不放心我们，以为我们半路要把他给宰了。

小林笑，我看，是我们要被人宰了。

这时，吴德进来了。孙民问事情处理得怎么样，他说，我已经让当地派出所的人控制住了。

孙民说，好，那就快走。

他脸色严峻地上了车。吴德和孙民一左一右把李百义紧紧夹住。一路上再也没有人说话。孙民没想到会有人跟了一千多公里，这让他战栗。但他知道这是什么原因，连他自己一度也被吸引，好像中了邪一样，陷入一种奇怪的信心的赌博，几乎酿成李百义逃跑的重大危险。虽然最后他赢了，李百义没有逃跑，但眼下的情形不同了，某种劫囚的想像浮现眼前。他不想在最后关头出事儿，巴不得马上回到局里。

一个小时后，他们驱车回到了樟坂。孙民已经联系好看守所——他们临时改变计划，对李百义不在公安局作任何时间的留置，直接送到省看守所。就是孙民即将上任的地方。

省看是关押重要嫌犯的看守所，和市看守所不同，这里只关押着一两百号人，而市看守所则关押着三千余人。省看关押的都是重要的犯人，比如由高院判的死囚、贩毒犯、处级以上的干部、军警系统的犯罪嫌疑人和台港澳以及外籍人士。孙民建议把李百义关押在此，本来并不符合规定，主要是因为李百义身份的特殊性。此外，在他即将上任的地方，孙民觉得好控制局面，也有利于他熟悉工作。

孙民对李百义说，我们要去一个……省里目前条件最好的地方。

李百义不明白他说的是什么……

孙民说，你要是送到市看守所，你不会那么舒服。

他指的是那里的犯人多是社会渣滓，而省看比较文明。

李百义明白他所说的最好的地方是什么了。

车子进到郊区，进入一个大门，又拐了好久，才停了下来。李百义被带下来。他在一个房间里等了至少半小时之久，然后吴德让他进到另一个大一点的房间。这时，他看见里面有一个警察和孙民在大声交谈和抽烟，笑容满面。他不断称呼孙民为所长，孙民叫他老蔡，房间里烟雾缭绕。李百义进来后，他们的脸沉下来，停止了谈话。

那个警察让李百义在各种文件上签字。然后拿出蓝色的印泥让他盖手印。手印盖了半天，因为需要用一整个手掌转动着盖，弄得很麻烦。

这时李百义又累又困，但他们没有让他睡觉的意思。又等了半个钟头，大约从晚上十一点开始，一批穿便衣的人到了，孙民也换了便衣，他们分两三个人一组，开始对李百义进行预审。

这一次预审和上一次一样顺利。一般而言，预审是最艰苦的阶段。他们通常要分几组人马对犯罪嫌疑人进行轮番的智力和体力上的轰炸，以从心理和生理上摧毁他们，达到攻陷的目的。但李百义的表现让他们意外，他对所犯事实供认不讳，即如何实施对钱家明的杀害过程，李百义说得很详细。孙民只用了一组人马就达到了目的。他相信李百义已经想好了要认罪伏法了。

　　所以预审阶段很迅速地结束了。

　　但李百义已经困得不行。孙民让他在沙发上睡一睡，李百义很快睡着了。他睡得真沉，孙民听见了他隆隆的鼾声。李百义醒来的时候，已经是早晨了。

　　早饭是一碗面，李百义很快吃完了。这时，他被孙民带到昨天晚上进过的那个房间。那个叫老蔡的警察和孙民给他办最后的手续。办完手续，老蔡叫李百义把皮带抽掉。皮带抽掉后，因为李百义很瘦，裤子马上就往下掉。孙民这时走过去，教他怎么别裤头才能使裤子不往下掉。

　　昨晚表现不错。孙民对李百义说，他的脸色很温和：在接下来的工作中希望你继续配合，好不好？

　　李百义说，好。

　　老蔡带着李百义走出了房间。李百义手捧自己的几件带来的旧衣服往前走，裤子不往下掉了。孙民用眼睛目送李百义一直走进看守所第三道大门。

　　李百义看到看守所是如此的整洁，好像花园一样。但没有一个人，仿佛一个墓地。听不到半点人声，只有高墙上的武警持着枪在巡逻。

　　又进了一道大门，李百义看见了一排水泥平房，被分割成一间一间。每间一个门，门右手有一个像狗洞一样的一尺见方的送饭口。

门打开了，这是十四号房。李百义被老蔡推进去，门又关上了。这时李百义看见里面大约有十几号人，一个一个坐在像幼儿园小孩坐的袖珍塑料椅上。里面的犯人没有一个是理了光头的。他们愣愣地看着他，几乎都光着上身。

这时有一个大胡子问他，叫什么。

他回答，李百义。

李百义突然看见他们不说话了，都安静了下来。过了一会儿，大胡子又问，干什么进来的？

杀人。李百义说。

那些人在悄声议论。随后没人理他了。李百义把衣服铺在地上，坐了下来。这时，大胡子扔给他一领破席子。李百义说，谁的？

大胡子说，你别瞎问，给你你就睡呗。

李百义点点头，说，谢谢。

那些人又在议论什么。眼睛看着他。李百义感到困倦，在席子上躺了下来。他很习惯这里的生活，因为他经常下乡，过惯了艰苦的生活。他经常严冬季节在乡下过夜，只有几件破衣服盖在身上，完全靠意志度过一夜。他告诉自己，身上有衣服，就是有被子。他感到温暖。

李百义闭着眼思忖，这些犯人怎么不来打他呢？听说犯人第一次进来是少不了一顿皮肉之苦的，可是他没挨一拳，反而得到一条席子。真是奇怪。

自从踏进这个房间，李百义就感到了一种从未有过的安宁感。如果说被捕上车的那一刹那他的一块石头落了地，现在他踏入号房，这块石头已经做了第一块墙基，完成了它的任务，可以安息了。

从逃亡那一天开始，这个人心中没有平安过。也许要从更远的时候说起，从组织盗窃团伙劫富济贫开始，他的心就是摇曳的。只是当时并不明白他所做的事不能让他心灵平安。直到他杀了人，远走西部，忧愁才像慢慢起的凉风一样，吹过他的心。被他杀的那个人说的话，总是在他耳旁响起。他说，如果你杀错了呢？你也可能会错的。

是的，就是这句话，让李百义的平安开始决堤，快乐开始失陷。如果真的杀错了人，李百义整个人就要垮掉，他的一整套说法都站不住脚。因为李百义的杀人行为，是经过他自己的审判的。至少他个人认为，这是一次严肃的审判。虽然个人杀人比组织杀人困难得多，但他毕竟成功了。虽然他对公义失望，但毕竟有了自己的公义，他用了电影中常有的情节——我代表人民判处你的死刑——现在，他至少代表他自己，判处了一个罪犯的死刑。所以他的行为比复仇复杂得多，这是一次有关公正的演习……我建立了我自己的法庭。一度，李百义所有活下去的信心都建立在这个公正上面。

然而从五年前开始，忧愁再度侵入他的心。

他做了无数的善举，为别人可以倾家荡产，对自己近乎严苛的对待，都无法驱散这种奇怪的忧愁而重获平安。他不得不问自己：是因为那个人不该杀吗？他觉得不是，他的直觉仍觉得那个人死有余辜。那又是什么让他重新被忧愁缠绕？李百义想不明白。

一个好人找不到平安，这是很奇怪的一件事，这本身好像也是不公平的一件事。

那些为非作歹的人都能天天快乐，醉生梦死。可我的心却不得平安，这是什么道理？李百义内心最隐秘的深处的那一丝不安，绝不是对惩罚的恐惧，这是很明确的。如果他真的害怕惩罚（依他这个人的性格），他会选择自杀。可是现在的问题是，他害怕的不是自杀，而是自杀的理由。

如果有一天他真的自杀了，见到了被他杀死的钱家明，他对李百义说，你杀错了人，你父亲不是我害死的。李百义就痛苦了。因为他杀了一个无辜的人。也许这种痛苦现在已经开始了，不，五年前就开始了，现在只是延续着，一直会持续到他死亡，见到那个人。

李百义第一次觉得自己如此不可依靠。他很孤独。这就是他十年来虽然有了最好的朋友陈佐松，有了最爱的女儿李好，有了最钟情的事业，仍然感到无比孤独的原因。

现在，他躺到了看守所的地上。虽然他并不完全信任未来的审判会真的带来公正，但很奇怪的，他好像卸下了左肩的重担，还剩下一半在右肩上。这至少轻松多了。他能把担子卸下一半给他并不信任的人（那些人可能就是他的仇人），真是一件奇怪的事情呢。

此刻他躺在地上，被人关在一个巨大的笼子里，却感到幸福。他可以一辈子不被人抓到，可是他自己却突然有一天向女儿说出所有，从而导致今天他躺在这冰冷的地上，这是什么原因？李百义想不明白，但一切却发生了。更关键的是，这个躺在牢笼里的人，心中尝到了久违的神秘幸福。这是一次没有丧失任何自尊的妥协——如果这是妥协的话。

现在，李百义面对警察，不但没有屈辱感，反而被更广阔的尊严笼罩。与此相比，个人的自尊却显得孤独、忧愁、疲累，是一种让人痛苦的东西。昨天和警察对话时，李百义从容应对，没有一丝犯人的自卑感，这是一种奇怪的信心。警察和他说话时也是比较客气的。他们好像很难把重话说出口，粗鲁的方式对李百义是不合适的。

李百义想着这一切，慢慢地感到困了，竟躺在地上睡着了。

他被一阵声音吵醒。

房间里好像多了一个人。这是刚提审回来的犯人。他背对着李百义，长得很高大，脚上戴着脚镣，正在咒骂另一个瘦削的小伙子，把他的头往墙上撞。大约是他偷了别人藏的香烟。他用他的脚镣把小伙子的脖子卡在地上，让他透不过气来。

没有一个人敢叫武警。那个守卫的武警站在视线死角。

大个子问，怎么样？

小伙子喘着气挣扎，说，我……不敢了。

大个子放开了他。

突然，他像发了疯似的甩着自己的脚镣，在地上打滚。大家都远离他。死刑犯大都神经不正常，有时会做出很古怪的举动。

这时武警听到响动走过来，从外间的铁网屋顶用枪指着下面，喝道：张德彪！别胡来，老实点儿！

听到呼唤张德彪的名字，李百义震一下，转过身来，这时他看到了那个大个子，虽然他长胖了，也留了胡子，果然是张德彪。

张德彪从地上爬起来，蹲在角落里。这时，李百义看到了一个脸色颓唐、神情呆滞的人。和刚才发威的那个判若两人。他好像完全呆了，有几分钟一动不动，看着水池发愣。

李百义再度观察了他好久，发现他就是张德彪。

他想，我要不要过去跟他打招呼呢？他好像已经认不出我来了。过了一会儿，李百义看见汗水从张德彪脸上淌下来。

他从地上捡了一把扇子递上去。

张德彪看了他一眼，拿过扇子。这时，他愣了一下，重新回头看他。李百义想，他要认出我来了。

可是张德彪问，你是新来的吗？

李百义说，我是马木生。

张德彪眼睛就直了。一直看着他，脸上没有任何表情。

……过了好一会儿，他才问，木生，真的是你呢？

李百义说，是的，真的是我。

张德彪并没有表现出应有的兴奋，只是说，你怎么回来了？

李百义说，是，我回来了。

张德彪说，我要死了。

李百义不知说什么好……

张德彪说，你为什么要被他们弄回来？你都跑了十年了。

李百义说，是的，十年了。

张德彪头一低，小声说，你这是找死来了！

李百义没吱声。

张德彪叫了一声：油条，切西瓜来！

那个叫油条的刚被打的小伙子用汤匙削了一块西瓜递给李百义。

张德彪说，吃，热坏了吧。

油条说，吃吧，解暑。

张德彪说，他们认识你，我常跟他们说来着。

他们很羡慕你，我说你是我的大哥。张德彪说，可是你怎么给弄回来了呢？

在张德彪脸上，李百义看到一丝失望。

那天晚上，李百义立即升格，从地上爬上了床睡了。虽然这是大通铺，但比地上舒服多了。这都是托了张德彪的面子。毫无疑问，他是这号子的牢头。

在接下来的几天，李百义免去了提水、刷厕所等新来的犯人应该做的苦活，反而受到优待。碗都有人帮他洗，还有人为他打扇。只是这几天没有人来提审他，这让李百义很奇怪。

张德彪和李百义谈了很多。他对李百义很好，但不知为什么，他对李百义的目光中好像渐渐褪去崇拜。李百义明白，自己竟会被抓到这件事，让张德彪很费解。而李百义也从和他断断续续的交谈中，整合出张德彪这十年的生活轨迹。

……自从李百义出事西逃后，张德彪的生活开始脱离原先的轨道。他开始什么人都偷，一度成为樟坂的大盗，警察老抓不到他，这让他更加声名大噪。他有很多钱，就玩女人，专门秘密买了一幢楼，成为淫窟。每天换女人。他对李百义说，我可没按你的规矩办，因为行不通。他们能贪赃枉法，我凭啥要守规矩？他们能包二奶，我为啥不能玩女人？他们公开的抢，我为啥不能偷？我告诉你大哥，一报还一报，他强，我比他更强；他恶，我比他更恶，看谁恶。

张德彪死期已定，他杀了七个人，有三个人是一家灭门。据说被害者是当初在收容所打他的人。但还有三个人跟他无冤无仇，纯粹是为了钱。一个是卫生巾厂的老板，一个是大地游乐城的董事长，第三个是台商。最后杀的一个竟然是他自己的女人，因为这个女人后来跟了另一个男人，他就把她的双乳切了，吊在房间里，血流干了，人也死了。

张德彪眼睛里露出光来，说，别以为我好欺负，谁伤我一指头，我就伤他十个指头。

李百义看到了他的目光，这就是所谓凶光，非常凶狠，和十年前那个睡眼惺忪的张德彪完全是两个人了。

李百义问，老六怎么样了？

张德彪摆手，别跟我提他，别跟我提那软蛋。我和他已经断绝关系了。

他突然火起，神经质地跳起来，莫名其妙又抓住那个小伙子的头往墙上撞。然后不停地嚎叫。李百义看出，他的确是精神出了问题。

那天的半夜，李百义看到张德彪一个人突然从床上坐起来，大口大口地喘气。然后他会在厕所里蹲上两个小时之久，没有人敢上厕所。只要半夜里张德彪醒了，一直到早晨就都睡不着了，他睁着眼睛到天亮。

他对李百义说，我看见街上全是鬼在走着。你们看不见，我看得见。他们的脸是红红的。你要对付它的唯一办法，就是你也变成鬼。

有时他又很清醒。有一次李百义和他谈起过去劫富济贫的事，他突然小声说，我们不谈这个。你到现在还不知道我们为什么会见面吗？是他们特地安排的，为了要让我们说出点什么来，才把我们弄到一起，号里有奸细，你小心点儿。

李百义才恍然大悟。

审　讯

　　李好和陈佐松在李百义到达樟坂的第三天也抵达了这个城市。陈佐松向县委请假，得到书记的首肯。对于陈佐松而言，李百义的离开好像剖开了他的心，从此他也失去安宁。而且，李百义的自首是出自他的建议。

　　长期以来，陈佐松之所以能努力工作且廉洁奉公，源于李百义榜样的力量和朋友的感情，他怎么也不会料到李百义会是今天这样一个结果。为此他不可能继续在黄城待着，他必须前往澄清心中的疑惑。作为决定把李百义送出去的人，他要承担起责任，在他理解，这个责任的主要意义就是争取担任李百义的辩护律师。但陈佐松没有对书记说明心中隐情。

　　事实上书记同意他前往樟坂，还有一个内在的意义，因为有一部分群众已经自发前往樟坂，他恐怕发生不测。所以陈佐松的行程中最重要的是阻止不应该发生的事情。陈佐松保证他会尽力保持让他们安静，不干预本案的司法程序。书记说，这是远远不够的，你要马上劝说他们回来，我们来出这个路费，越快越好。

陈佐松答应了。其实他心里没有把握。他想当李百义律师的愿望过于强烈，书记甚至闻出了两个男人之间的感情。不过即使书记猜到了陈佐松的心思，他也不会加以反对，连他自己对李百义也心存感激，李百义对黄城的贡献，使他的口碑牢牢地扎根在黄城人心中。书记把李百义的事件只当成是青年时期的一次荒唐历险，他预料事情应该会有一个圆满的结局。所以他理解陈佐松对李百义的感情。

陈佐松联络了李好。李好这几天已经被悲伤洗劫。陈佐松怎么劝说也没有用，只能把希望寄托在去樟坂以后。是他决定把李百义交出的，他必须对此负责到底。他向李好保证，结局是好的，李百义一定不会有生命之虞。他简单收拾了一下行李，马上和李好乘坐飞机到达了樟坂。

他们下榻在一家朋友开的宾馆里，叫龙腾宾馆。这个朋友是陈佐松的老战友，叫游德龙，过去他们一起在东海舰队当过兵，游德龙当的是电工，陈佐松当的是声纳探测员。游德龙现在是这个城市的企业家联谊会副会长，在樟坂也算是个人物。他一看见陈佐松就拥抱他，大声回忆当时他如何在军舰上被电击摔到海里去的事情。

陈佐松问他知道不知道李百义的事。他说他知道李百义归案的消息，报纸上已经登出来了。

这个人很出名的啊。游德龙说，想不到他跑到你那里躲起来了。

他是我朋友。陈佐松说，这是他女儿，叫李好。

游德龙和李好握手说，欢迎欢迎，你们就在这里一直住下去，住多久都行，我埋单，有需要我的地方吭一声。对了，我把报纸给你们看。

陈佐松拿到报纸，果然看到了在头版登载的有关李百义落网的消息，标题是"十年逃犯一朝落网"，旁边是案情回顾。记者着重写了李百义落网时露出笑容的事，称之为"不可思议的笑容"，报纸称，看来时间并不能洗净罪恶，这个无耻的罪犯过了十年还露出如此恬不知耻的笑容，公然蔑视法律。记者还用了一段据说是对当街民众的采访，一个老太太说，用一句俗话，这个人是"死猪不怕开水烫"。

孙民也看到了这份报纸，他很恼火，把报纸摔在地上。他不知道这么快就走漏了风声，这让他很不爽。这将给接下来的审判增加难度。不过上级似乎并没有意识到这个案件内在的特殊性，他们想向民众表白功劳——一个潜逃十年的要犯的落网，是整顿社会治安环境的一大胜利。但没有一个人像孙民那样明白这个案子的特殊性，因为他看到了那个人，一路和他同行的与众不同的人。

按道理孙民不应该有这种担心，他基本上完成了任务。接下来的事跟他无关了。预审阶段如此顺利，绝对是与李百义的配合分不开的。孙民对他有了一个好印象。撇开他的罪不说，至少这是个务实的人，或者说他懂道理。孙民最讨厌那种无理取闹的罪犯，但罪犯大都如此。李百义是例外的。这就很自然地让孙民注意他，甚至开始研究他。

现在，孙民准备到看守所上班了，他已经向检察院提出批捕李百义，除了今后检察院因为证据不足事情不清可能要孙民补充侦查，他基本上脱离了这个事情。一般而言，批捕李百义是十拿九稳的事，不可能有变数。所以，昨天下午孙民到看守所收拾了自己的新办公桌，也和新同事见了面。今天上午，他会和检察院的刘汉民检察官在看守所见面交接，并配合刘汉民对李百义进行第一次提审。

……刘汉民和助手在上午十点来到了看守所。刘汉民是一个四十左右岁的中年人，脸红红的，像是喝了酒一样，如果酒测他你会很失望，这只是心脏不好的表象。他是樟坂近年来很出名的检察官，一向负责重案的起诉工作。他的嘴角下撇，有一种不怒而威的神态，很让人畏惧。

他一见孙民就说，李百义已经批捕了。

这是孙民意料中的事。接下来孙民和他就李百义的案情作了交谈。孙民着重提到了李百义在黄城的影响力。可是刘汉民不以为意，在他脸上甚至看到了他因为孙民提出这种背景而感到的一丝不悦。

这些事情都不会影响到我的起诉。刘汉民说，我们审的是十年前的案子。

那是。孙民说，我只是怕节外生枝。

刘汉民笑了，就算他真的悔改了，也要认罪伏法，所以，我们不要把事情想得太复杂。

孙民说，还有一个需要认定，就是关于自首的情节。

刘汉民的脸上显然露出不快，大约他感到孙民干扰到了他的工作。他说，怎么样，我们现在就把他提出来吧。

提审室很狭小，中间隔着铁栏杆。孙民让人把李百义带出来时，他看到了李百义，李百义也看到了他，李百义甚至对他点了点头，露出了笑意。孙民也稍微点了一下头。他预料如他的预审一样，提审会很顺利。

但他错了。刘汉民的提审遭遇障碍。当他向李百义提及杀人情节时，李百义供认不讳。但刘汉民问及他为什么杀人时，李百义就一言不发，这让刘汉民很奇怪。刘汉民要他详细说明杀人细节，李百义很配合，但只要刘汉民问及他的思想和动机方面的问题，他的嘴就紧紧闭上了。

接下来的障碍更大，刘汉民开始涉及更早时间有关盗窃团伙的犯罪事实，他遭到了比原先更强烈的抵抗。李百义根本不回答任何有关当年所谓"杀富济贫"的犯罪事实。在他的脸上，甚至有一种不屑与刘汉民讨论这一问题的表情。

刘汉民走出来抽烟。他开始意识到孙民说的话的严重性。他对孙民说，这个人对事实供认不讳，就是不愿意交代动机。

孙民说，他供认关于盗窃的事实了吗？

刘汉民说，没有。

孙民说，很奇怪啊，杀人的事情都愿意说，这是要杀头的，盗窃的事情反而不愿意说。

不交代动机，这是为什么呢？孙民说。

刘汉民笑，真是个怪胎。不过没什么，我要的就是事实。

这样，你下午再过来。孙民说，我观察一下。

刘汉民说，好。

刘汉民走后，孙民在提审室把李百义多留了一会儿。他问李百义在这里住了几天感觉怎么样？李百义说很好。睡得很好。

你要配合刘检察官。孙民说，把事情都说清楚，反而对你有利。因为你可能被认定自首情节。

李百义说，我只说事实可以吗？

孙民说，可以可以。下次我把你们安排到会议室，这样关系融洽些，好不好？

下午刘汉民又来了，孙民把他们安排到了会议室。刘汉民笑笑说，他妈的，真是厅级待遇了。但为了提审顺利，他没有反对。

会议室很大，李百义就坐在刘汉民对面，中间没有铁栏杆。这次刘汉民问到盗窃的事，李百义开始供认。他叙述了几次重要的盗窃事实，也说明了所窃财物的去处。

但刘汉民问到他为什么要这么做时又卡壳了。李百义说，我不想说这个问题。我只说事实。

刘汉民说，不要以为到了会议室，就是在开会，你就可以选择回答与不回答。

李百义说，我当然可以选择回答与不回答，你需要证据可以自己去调查。

刘汉民被噎了一下，说不出话来。

李百义脸色缓和了下来，说，对不起，我不是故意顶你的。我想，你们可能最想要的就是犯罪事实，因为你们是根据事实量刑的，不是根据思想。

刘汉民沉默了。一会儿，他说，行，你就说事实。

接下来的提审比较顺利。刘汉民放弃了探究他思想的努力。有关李百义的各种犯罪事实认定非常清楚。刘汉民问什么，李百义回答什么。但只有他的思想是完全壁垒森严的，刘汉民只要一触及他的思想，比如你当时想什么？你为什么这样做而不那样做？此类问题一出现就立刻遭到李百义的拒绝，他的拒绝方式就是把嘴闭上。这让刘汉民难堪，好像他触到了李百义的神圣不可侵犯之处，可他只是个犯罪嫌疑人而已。

最后，刘汉民问道，你是由你女儿来报案的吗？

李百义说，是的。

刘汉民又问，是你授意她这么做的吗？

李百义没回答。

陈佐松已经正式申请成为李百义的律师。他现在还有律师执业执照。他向县委递了辞呈，为朋友放弃前途。可是陈佐松没有一点后悔，因为这是一个必然的结果。

在此之前他获准和李百义见了一次面。孙民把陈佐松带进提审室时，着实吃惊不小。他没料到陈佐松会成为李百义的律师。在抓捕李百义和驱散群众时，陈佐松提供了很大帮助。他意识到他和李百义非同寻常的朋友关系。

孙民说，他已经对犯罪事实供认不讳。

陈佐松说，关键的问题是，他属于自首情节。

陈佐松和李百义在提审室见面。李百义见到陈佐松时，两人伸出手握了一下。

陈佐松问了一些他在看守所的生活情况。主要是观察他是否受到虐待。但看上去李百义身体很好。比被捕前脸色好多了，似乎在几天内他就胖了一些。

陈佐松说，你胖了。

李百义说，我胖了吗？他摸着自己的脸。

陈佐松说，进了这里，你终于休息下来了，否则你就像一台破机器忙个不停。

接着，陈佐松说出了一句最重要的话：百义，你既然嘱咐我和李好办理此事，现在事办成了，我们完成了任务，自首情节已可以认定。从现在开始，你要放下心来，好好配合检察官，也配合律师，就是我。

李百义看着他，微微点了点头。

陈佐松凝视着他的眼睛，说，你要好好保重自己，不为自己，也要为我们啊。

李百义没吱声，看着陈佐松，点了点头。

陈佐松开始和他交谈犯罪事实和有关庭审事宜。

可是在整个谈话过程中，李百义似乎对谈话内容并不在意，他只是一直望着陈佐松。陈佐松知道他想问什么，他突然心中很悲痛。

谈话时间到时，李百义终于问道，你来当我律师，那边怎么办？

他问的意思陈佐松很明白。这意味着一种重要的改变。事实上只要李百义同意，他就可以成为他的律师。但对于陈佐松的特殊身份而言，如果他坚持成为李百义的律师，他的未来就改变了。

陈佐松握着他的手，说，唇亡齿寒，无所相依。

离开时，他的手紧紧用力地握了一下李百义的手，说，配合我，否则我这一趟就亏大了。

陈佐松说完了他想说的话，出了提审室。门外就站着孙民。他有义务监听他们说什么，所以他什么都听见了。

陈佐松对孙民说，他这人不会照顾自己，麻烦你……

孙民说，你放心，这是省看，文明看守所，没事。

陈佐松走了。孙民目送他的背影。陈佐松和李百义的感情，好像一股沸水一样，在孙民的胸中翻涌着。他想，我这一辈子，要是有这么个朋友就好了。

……陈佐松回到旅馆，发现有一个陌生人坐在房间里和李好交谈。游德龙说，这是我朋友，说认识李百义，我就把他带来了。

那个人穿着一套高级西装，却系着一条鲜红的领带，夹着一个真皮黑包。他指着李好对陈佐松说，我一看她长得，就知道是木生的女儿，你看这腮帮子，这眼睛，分明是一个模子刻出来的嘛。我叫陈金六，木生……对了，现在他叫李百义，百义他叫我老六，我现在改名叫陈清流，过去的事情就让它过去吧，这是我的名片。

他递上名片。陈佐松看见上面写着"樟坂清流实业公司总裁，樟坂企业家联谊会秘书长"。

他又拿出中华烟，陈佐松说我不抽烟。

游德龙说，老六是我的同事。大家都是好朋友，经常在一起喝酒。

老六说，游兄抬举我了，我顶多是帮游兄跑跑腿的，我做一点小生意，生产耐火材料，就是厨房用的东西。有时候也包包工程。关于百义这件事，我想，坏事变好事，我总是一条原则——过去的事情让它过去，我们向前看。啊，所以他回来了就好，我们有办法，没事儿，你们不用担心。我不就是这样过来的吗？当时有人说，老六完了，现在，说这些话的人到哪里去了？没脸出来嘛，满地找眼镜嘛，是不是？只要把事情交代清楚，政府的政策就是治病救人，就算百义的事情麻烦些，也有个当时的实际情况嘛。反正我有信心。我受百义大哥的恩，现在就是我回报他的时候，要钱要人我都有，要什么我给什么。

游德龙说，老六比我还能跑。

老六说，不要叫我老六嘛，叫我陈清流，我已经是个新人了。我认识负责此案的检察官刘汉民，我们一起喝过酒的。我也了解到了，中院的王法官会负责本案，他这人很好，是我厂里副厂长的一个朋友的同学的小舅子。我还见过他一面。不就是出些条子吗，没有摆不平的事。

陈佐松说，这事已经上报纸了，比较难办。

老六一直摆手，不要相信这个，没有用，中国的事情，从来就是灵活多变的，我这个人就是因为明白了灵活这个道理，才活到今天这样子，否则的话，我比我表弟还惨。我告诉你我有一个表弟，叫张德彪，当时也是跟着百义的，什么都好，就是一个不灵活，说他有罪，不服，他老说他比贪官还干净，你说讲这个干吗？没意思嘛，结果是越陷越深，连杀七人，我想救他都不行了，现在蹲在看守所里等死。所以，人不能太较劲儿，要相信组织，你看我没什么文化，也犯过案子，还是给我活路嘛。为什么？一，我认罪伏法，监狱我蹲了，还了法律的债；二，我灵活，没有本事，给人跑腿总行吧；三，舍得扔钱，机会是朋友给的，钱是大家赚的，不要太贪，你就不但有活路，而且还能活得很好。

老六一口气说个没完，让别人没有说话机会。游德龙说，老六就是这样，对。

李好想起在父亲的回忆中有这个人。但这个人和父亲回忆中的人不一样，完全是两个人。过去那个人是一个无能而胆怯的农民，现在这个人却像个混子。

陈佐松说，谢谢你们的关心。但现在这个案子先只能以法律方式走。

老六说，没事的，百义比张德彪灵活，他愿意回来就是个证据嘛，死不了。在这个社会办事儿，就要顺着来。我明天就去找有关的人，到天上人间请一桌五千块钱的大宴，没问题。

第二天老六果然开始操办大宴的事儿。让他吃惊的是，这一次没有一个人愿意出席。他觉得事情很麻烦。

这边，陈佐松已经找到了从黄城跟来的群众，黑汉和黑嫂带着大约有几十个人坐火车来到了樟坂，昨天到信访局上访。陈佐松找到了他们住的地方，他们竟然在樟坂的郊区租民房，准备长期为李百义的官司住下来。

陈佐松和李好来到了他们的住处。他对黑汉和黑嫂说，现在这个案子很特殊，要按法律程序走，这样更有利于李百义，他作为律师，有信心得到一个好结果。他劝他们回黄城去。

黑汉说，我们千里迢迢赶来，就是为了得到好结果，现在还没有结果，我们不能回去。

李好说，你们先回去，你们在这里也帮不上什么忙。

黑嫂说，谁说我们帮不上忙？我们这么多人在这里，不是要闹事儿，就是要让法官相信，李百义是个好人，他不是坏人，我们会对法官说好多李百义做过的事情，让他知道他是个好人。

陈佐松说，好人也要为做下的事情负责任。

黑汉说，那是他过去做的事，年龄小嘛，现在人家改了嘛，法律还讲个坦白从宽抗拒从严呢，他不是自己愿意来自首的嘛。

陈佐松说，你这话算说到点子上了。但这事儿要我这个律师来办，明白没有？

黑汉说，这样吧，我们不闹事儿，但我们也不回去，我们要看到他好好的有个结果，我们才放心。

陈佐松看劝说无果，只好回去了。

他和李好回到旅馆，看到游德龙和老六正在商量对策。他们决定拿出钱来救李百义。钱都从老六的厂子里出。

我算了一下，按照过去的惯例，摆平这事儿要花个四五十万左右。老六说，要牵涉到五六个人。

陈佐松说，老六，不是没有钱，李百义就是个千万富翁。

老六说，这是我的心意，怎么会一样呢？

陈佐松说，如果要这样做，当初百义就自己做了，为什么不做呢？所以，不是钱的问题。

老六嘟囔道，反正我一定要帮他的忙，我是他的兄弟嘛。

演　说

　　庭审在今天举行。陈佐松和李好早早地来到了法庭。李好第一次看到了被害人钱家明的家属，他的妻子，一个发胖的妇女，脸上透着愤怒。她坐在前排右侧，而李好则坐在前排左侧。陈佐松坐在辩护人的位置。十年后他第一次重披战袍，带来了大量资料。这些资料的获得与其说是此次对当事人李百义的采访，毋宁说是十年来对老朋友的追忆。

　　李百义被两名法警带上来了。今天他穿着号衣，是十四号。这是一个不吉利的数字。他走进法庭时环顾了四周，看到了李好。他向她笑了一下，李好的眼泪就忍不住夺眶而出。但她的确看到父亲明显胖了，也变得白皙。

　　李百义也看见了陈佐松。陈佐松向他做了一个手势，好像是要让他明白它的含义，在陈佐松心中最重要的事情，无外乎是对自首情节的认定。李百义向他点了点头。陈佐松放心了。

　　因为李百义的案件影响很大，报纸上已经公布了事情的经过。所以这一次审判是公开的，允许群众旁听，法庭上座无虚席，连过道上都站了人。

审判长王廷义法官宣布庭审开始。接着进行一连串预定程序。李百义站在审判席上，心中掠过一种恍忽的感觉……这是不是自己想要的结果？

十年来，李百义不止一次在心中预演过这个场面，梦见自己站在审判席上，慷慨陈词，他像一个大律师那样揭露罪恶，而他自己是没有罪恶的。他始终这样想像也这样相信。现在这一天终于来到了，李百义却找不到那种激情。他超乎寻常的平静。

现在，他大可以站起来，像一个英雄人物那样指认谁是罪人，宣讲什么是公正。但他却没有这样做，而是像一只准备牵去宰杀的羔羊默默地站在审判席上。庭审开始后，他对法官问及的所有问题一一顺从地回答，其谦恭态度让陈佐松都感到吃惊。他虽然希望李百义能配合法庭调查、也配合法官和律师的质询，但李百义这种看上去软弱无力的样子，连陈佐松都感到不舒服。好像他真是犯下了弥天大罪，要请求每一个人饶恕一样。如果李百义不坚持必要的矜持，说出对自己不利的话，会给陈佐松增加很多麻烦。

但在整个法庭调查过程中，李百义一边回答，一边点头，每回答一句话就点一下头，好像对问他问题的人行礼一样。

只有李百义清楚地知道，十年的愤怒并没有给他带来快乐，也没有给他带来尊严，只有捆锁。他越做好事，就越孤独。这是一个什么道理？那是一种好人的孤独吗？它会带来平安还是倨傲？

李百义强烈认同自己是好人，要证明这一点需要付出代价，他做到了。不但他自己认定自己是好人，别人也这么认为，所以这次才有那么多人来支持他。他这十年的人生是得胜的，无愧于良心。

他终于达到了自己的目标：让自己从心底里认同自己，赞扬自己，定义自己。

那是瞬间的快乐，比快乐更持久的是孤独。这种孤独的含义是：他需要不停地做越来越多的好事来维持这种快乐，用持续不断的付出来驱散孤独，所以他成了一个工作狂。有时他想，为什么我不能避免自己像一匹马一样，而又能得到内心的平安？就像刚出生的孩子，躺在母亲怀里，这个婴儿什么也没有做，却得到了世界上最多的也最安全的爱。

难道因为自己真的犯了罪吗？李百义还是不甘愿承认。他有一千个理由认为那不是罪，如果这是罪，那么这世界上还有很多的罪没被认定为罪，这就是不服。然而，不服却产生了多么可怕的愤怒！

这是李百义十年来一直无法消弭的奇怪东西。如果前五年的李百义是在反抗，那么后五年的李百义只有一个心思，全力对抗和拒绝这种愤怒带来的孤独，它几乎要侵蚀和消灭李百义。然而，这种秘密痛苦没有一个人知道，包括陈佐松。

最后的结果是，李百义似乎一点一点被吸收了，由此渐渐变得轻松。他不再纯粹从做好事中求得平安，而是希望出现另一个答案，一个不一样的答案。在这种期待中慢慢使心情平复。他的梦开始变化，虽然还是梦见法庭，但他不再是慷慨激昂的那一个，而是坐在审判席上静静聆听的那一个。

就像现在一样，他的表现使大多数人感到错愕。检察官刘汉民正在宣读长长的起诉书，这本起诉书很长，也很详细，因为他从李百义身上取得了大量的证据。但刘汉民仍然自己添加了很多东西，他添加的东西有些是自己的臆断和评论，比如说他把李百义被捕前的微笑猜测为他对法律隐晦的蔑视，甚至把有关李百义和女儿长期同居的谣言当做群众的某种看法。最后他下结论：李百义犯有故意杀人罪和盗窃罪，数罪并罚，请求对犯罪嫌疑人判处死刑，剥夺政治权利终身。

接下来是律师陈佐松的辩护。这时发生了一件事，一大批人拥进法庭，引起了一些喧嚣。李百义一看，是黑汉带来的人，大约有几十个，一下子就将过道挤满了。警察想把他们劝说出去，但他们不走。黑汉说，他们只是想旁听一下，看李百义一眼。但他很大声地和李百义打招呼，喊道，李会长，您要好好保重！

李百义朝他们点点头。

黑汉的儿子突然打出标语：李百义是好人！

警察重新开始驱离他们，双方发生推搡。黑汉说，我们不吱声行不行？你们不是让群众旁听吗？我们算不算群众呢？

最后法官让他们把标语收起来，不要出声，安静地旁听。他们遵守了，把标语收了起来。

陈佐松开始辩护。他辩护的重点在于李百义虽然有杀人的故意行为，但我们需要从他的犯罪动机和成因来看这个案件的特殊性。陈佐松认为，李百义本质上是一个正直善良的人，从他近十年来所做的事可以看出这种特质。他在实施杀人之前，有怀疑钱家明对李百义的父亲实施刑讯逼供致人死亡的前提，据此陈佐松认为，应尽早重新调查李百义父亲失踪案，两案并列，才能弄清事实真相和犯罪动机。

他还认为，李百义盗窃案也具有特殊性。其所谓劫富济贫的理想直接成为他组织盗窃团伙的动机，这是出于对社会的偏激理解导致，而不完全出于自己的利益需要。李百义的偷窃对象事后证明大部分是贪官。而他的确把所窃财物分给了贫困人群。这至少证明李百义不是那种完全由利益驱动的十恶不赦的惯偷。

陈佐松重点列举了李百义十年来在黄城所做的慈善事业的详细

情况。他说，这样一个在当地被公认为优秀慈善家的人，我们难道看不出他的忏悔之意吗？他当庭拿出李百义穿过的破衣服和烂鞋子。他承认李百义延宕十年没有投案，但他做了那么多事情，这个过程就是改过自新的过程，因为悔改是一个过程。这忏悔到了一个程度，就变成事实。所以，他说，在上个月，我的当事人决定，他要负起他应该负的责任，于是，他透过他的女儿，实施了投案自首的情节。基于李百义案件的特殊性、他的忏悔事实和由此发生的行为，即他的投案自首情节，根据刑事诉讼法有关规定和政府坦白从宽抗拒从严的一贯政策，陈佐松认为合议庭应适度量刑，给予李百义从宽处理。

孙民今天亲自押解李百义到了法庭。其实用不着他的大驾，显然，他对这个特殊的案件发生了浓厚的兴趣。

……接下来是控辩双方辩论。刘汉民指出李百义并不在自首情节之内。理由是没有证据显示李百义女儿的代为自首是李百义本人的意愿。

陈佐松反驳说，法律规定可以由亲人代为向公安机关报告自首并交出犯罪嫌疑人。

刘汉民提出新证据：李好并不是李百义的女儿。

陈佐松拿出一整套手续证明李百义已经办理了收养李好的正式手续，就可以认定李好是他的直系亲属。

刘汉民说，现在的关键是，没有证据显示这是李百义本人的自首意愿。

陈佐松说，这个问题很简单，可以由李百义本人来说明，他是不是自愿自首。

刘汉民说，即使李百义愿意承认，也不能说明就是自首。事实上自首是一种由犯罪嫌疑人本人或由其亲属带领赴公安机关实施投案自首的情节，但本案的情形恰恰相反，公安人员千里迢迢赶赴黄城，和犯罪嫌疑人周旋了两天，最后在黄城市场设伏将犯罪嫌疑人当场逮捕，你说，这算是投案自首吗？

听众出现骚动。人们开始议论。

陈佐松说，我的当事人当时正处于病痛当中，不便长途跋涉，他的女儿由于担心父亲的身体状况，为了妥善圆满地处理此事，才决定带公安人员前往。

刘汉民笑了，他请求法庭放了一段录像，就是李百义被逮捕时的现场录像。

大屏幕上，大家看到了李百义在松花江牌小货车前被捕的画面。

刘汉民指着画面上的李百义，说，请大家注意，当公安人员出现在犯罪嫌疑人面前的时候，他的脸上显然出现了惊愕的表情，请问，一个等待自首的人，会对警察的出现表示惊愕吗？

陈佐松反对。他说，这种惊愕表情并不能证明李百义没有自首意愿，一个已准备好的人，在事情突然发生时也会露出这种表情，这是人的生理的自然反应。

陈佐松提出新证据：李百义在看清楚是警察时，他露出了笑容。试问，一个不愿意被逮捕的人，在结果来临时除了惊慌、沮丧，谁会露出如此灿烂的笑容呢？只有在这种结果是他愿意接受的，而且是他希望的结果的时候，他才会有这种反应。

刘汉民提出相反的解释，他说，这个笑容恰恰是一个顽固不化的人特有的表现，是无耻的人才有的表情。这非但不能证明李百义愿意自首，恰恰证明李百义根本没有一丝悔改之意。

陈佐松抗议公诉人使用侮辱性字眼攻击他的当事人。王法官同意抗议有效。时间已到，他中止了控辩双方的辩论，认为这种辩论已经走向情绪化。

王法官问李百义，是否是他自己主动意愿自首，并托付女儿李好实施自首情节。

李好和陈佐松的目光迅速地投向了李百义。李好的心紧张得要撞破胸膛。她知道李百义的回答非常关键。他的回答不是唯一证据，但至少可以让陈佐松有操作的余地。一种可怕的画面浮现：李百义的话就像一颗子弹，有可能击中目标逃生，也可能偏离，射向他自己。就在一念之间。

……李百义好像愣在那里。他的目光投在女儿脸上，他看到了女儿的眼神，那是一种让他不能久视的眼神。就在那一刹那，他发觉，它不仅是父女之爱，它就是爱情。

李百义也看到了陈佐松的脸，那是一张貌似平静的脸。但他看到了朋友心中的期待。李百义想，他为什么千里迢迢来到这里当他的律师，难道只是因为他是自己的朋友吗？他为了朋友丢掉自己的乌纱帽，这样的代价是不是太大了？还有一种解释：陈佐松真的看到了真相，他真的相信李百义是无罪的，他相信一切，因为他相信李百义。不但李百义的希望在他身上，他的希望也在李百义身上。李百义如果被判决为一个罪人，他就是罪人的朋友。陈佐松并不像别的律师，他完全相信他所辩护的不是一团混乱的事实，他辩护的是真理。

王法官重复问道，李百义，自首是你的意愿吗？

李百义终于回答了：不是。

陈佐松几乎不相信自己的耳朵。李好在听到这样的回答后当场晕了过去，被黑嫂背出去。连刘汉民都惊愕地坐在那里。

只有孙民明白，这个人会这么说的。因为这个旁观者在心里把李百义的行为和心理逻辑推演了一遍，他猜测，也许李百义会给大家一个不一样的答案。

看到女儿被抬出去，李百义心中划过一丝尖锐的悲痛。他几乎要后悔说出那两个字。他两手扶着栏杆，双腿发软，好像要坐下去。但突然他重获力量，似乎只过了几秒钟，他胜过了自己，一种轻松感从天而降。

长达几小时的枯坐中，使他的内心已经渐渐失去平静，冗长的法庭辩论打扰了一个人已渐趋平复的心。李百义本来打算平静地在法庭上度过所有时间，因为他再也不想在法庭上慷慨激昂地演说和辩护了，只想像一只羔羊一样坐在那里，静默无声，倾听内心的声音。可是，他的平静最终还是被打破了。

王法官说，李百义，你最后有什么陈述？

李百义看了看全场。他意识到，现在已经无法回避那个他无数次预演过的演说。虽然他不再把他它当成演说，或者说演说的性质已经发生改变，变成了一次告白。但它毕竟来临了。

以下是李百义的法庭自述。

……我的确想过自首，也想过自杀。我想过在这个法庭上演说，完全不像一个罪犯，而像一个法官那样在讲演，因为我从来不认为我有罪，即使我有罪，那么，别人也有罪，如果要审判我的罪，也要审判别人的罪。所以，如果有一天我站在法庭上，无论我是以什么方式站在这里，我都不会改变我要说的话。现在，我真的站在这里了，可是我却忘了我要说的话，我已经为此准备了整整十年，可是现在我忘了。我好像丢了演说稿的小学生，只能随便说，既然不再是演说，你们就把接下来我的话当做一次交心，如果你们认为我是在认罪，我不会反对。

我感觉到了一种从来没有过的轻松，还有快乐。过去十年所做的一切，既不是在积敛财富，也不只是在做慈善，我所做一切的最后目的，都是在准备这场法庭演说，这是终将会出现的，因为，这个世界没有事情是无理由和没结果的，如果这样，这就是个奇怪的世界。

我在等待这个结果的出现。我小时候，相信一切；长大后，我不相信了；后来，我相信自己；现在，我连自己也不相信了。因为相信自己仍然没有给我带来快乐。

那我相信什么？我相信法庭吗？如果我相信，我会早些出现在这里，我会自己一个人悄悄地来到这里，但我没有这样做。我一直没有真正地认真想过自首的细节，所以我没有决定。是没有勇气吗？不是，我连死的勇气都有了，会没有自首的勇气吗？自首的结果只是死吗？如果是这样，一切变得更加简单，我可以自己了结自己，可以省去这么多复杂的手续。

不。一切并不那样简单。我真的尝试过自杀，你知道这是很难的，不是出于恐惧，而是出于理由。我曾走到一个悬崖上，我知道我只要一闭眼就可以结束一切，我真的想这样做了，可是我突然停了下来。

并不像很多故事中说的，我突然转身看到了一片翠绿的树林，看到了美丽的花朵，或者闻到了树上果实的香气，觉得人生是美丽的。不是，我没有看到这些。我看到的是更大更黑的深渊。如果我从这里跳下去，是基于什么理由？是谁把我送到这个世界上来？他既然把我送到这个世界上来，仅仅是要让我受苦吗？或者恰恰相反，仅仅是要让我吃遍山珍海味然后死掉，而不告诉我这个世界的答案？不，这两样都不是答案。

我说自杀是困难的，就在这里。我下不了手，因为我不知道死后会去哪里，会遇到什么。我审判过一个人的死刑，他真的死了。可是我却慌张了，因为我不知道他到底去了哪里？如果我也去了那地方，他会对我说什么？杀错了人并不可怕，我拿这一条命顶上就是了，应该算公平了，如果仅仅是这样，就像一减一那样简单，没什么好说的，也没什么好想的。

但可怕的是，我凭什么，有什么权力杀害自己？如果我去自首，就是把自己送出去，杀掉自己。这里有两个问题：你相信别人的审判吗？你相信自己的审判吗？这两个问题只要有一个通不过，我就不会自首。

刘汉民反对被告在庭上发表与案情无关的长篇大论。王法官却指示李百义继续说下去。

但有一天，一件事改变了整个结局。李百义的手开始颤抖……那天，我开车往灾区运面粉，在公路上看见了一起车祸。这只是平常的一起车祸，一辆中型客车翻倒在路基下面，两个死亡的人躺在路边，脸上蒙着报纸，血从报纸里透出来……我的心突然像被竹签穿透，非常痛……因为我想起来了一件过去的事情，就是在我刚从工厂出来没饭吃的时候，我认识了老六。因为饥饿，我们被一些民工叫上，在公路上讨口饭吃。他们弄来一桶又一桶烧热的沥青，倒在下坡的转弯处，客车从上面公路冲下来，辗到沥青上就翻车，民工们一见车翻了，就冲上去抢钱，抢旅客的钱，他们不管人是死是活。钱抢了，就像苍蝇散去。我吓坏了，我没抢钱，但我看到了翻车死的人，老六也看到了，有一个人的脸皮都翻了过来，露出白白的肉……我非常害怕，虽然我看见别人抢到了钱，我两手空空，很妒忌，但我太害怕了。

我没抢钱，也没抢到钱，但我妒忌了，我是抢劫的人中的一个，可能我只是一个旁观者，但我参与了。我原先以为，穷人才是正直的，现在我觉得不管我是穷人还是富人，不管你是掌权的还是一般老百姓，这地上没有一个好人，因为好人不会洒沥青在公路上……说到这里，李百义痛苦地哭泣了，他的哭没有声音，好像被冰川压着的海水一样。他弯腰了，无力地靠在栏杆上。他的鼻涕流下来了。孙民突然上去递给了他一张纸巾。

李百义擦了眼泪，说……我和我恨的那些人，那些犯罪的人，没有什么不同。如果真有什么不同，只不过在于，我现在认我的罪……我先认罪好了，我愿意为我所做的负责，哪怕会坐牢，枪毙……我知道我今天说的话让我的亲人和朋友伤心……李百义说到这里又哽咽了，因为他们爱我胜于爱自己，但我要说，除了爱，我更愿意让你们了解我的心，我的确没有自首，是女儿背着我联系了警察。我没有自首，因为心中有最后的不服，虽然我已经不相信自己，但我也不愿意完全相信别人，但我相信什么呢？我不知道。但我接受我女儿安排的一切结局。因为她这样做是对的，她真是我的好女儿，我爱她这么久，只有情感的爱，并没有做好榜样，但她给了我最好的礼物，就是帮助我跨过了最后一步，让我完成了最后的顺服。

法庭上先是静悄悄的，现在开始议论开了。法官指示肃静。陈佐松呆呆地听着，他坐在那里，完全失去力量了。

我顺服什么呢？李百义说，事实上我是很难被抓到的，我藏得很好，我可能在黄城生活到老死。是我自己把一切告诉了我女儿。我顺服了，我为什么能顺服？因为我真的发现，我是有罪的。

有一个长者跟我说过，人有两种罪，一种是罪行，是具体的罪行；一种叫罪性，是内心的想法。我想，我两样都有了，就是个罪人。它折磨了我十年。我先以为是别人在折磨我，后来发现是自己在折磨自己。我很难过。我常常一个人清晨坐在山上看山下的小河，看到这个世界那么美丽，我就想哭。我想，既然有这么美丽的世界，为什么没有美丽的人生呢？这究竟是怎么一回事？这是不对的，是哪里出了岔子。我真想突然变回孩子，好像一切发生的并没有发生过，我也没杀过人，没偷过东西，我身边的人也一样，他们是这个世界上最好的人。一切从头来过。从今天早上开始，以前的都忘记了，一切都变成新的了。

李百义对黑汉他们说，谢谢你们支持我，你们打出标语说，李百义是好人。我知道你们爱我。可是我要对你们说，这个世界上没有一个完全的好人，连一个都没有，我们是罪人。

刘汉民说，你说了这么多，就是要说，你不是自愿自首的，是不是？

李百义说，是的。但我接受我女儿带来的结果。

刘汉民对法官说，我看可以了，他说得够多了。

陈佐松低下头。

法官宣布休庭。观众纷纷议论着退场。

李百义被孙民带走时，看了陈佐松一眼。他看到陈佐松的眼睛是疑惑和茫然的。他的心抽了一下。他没有看到女儿。

孙民把李百义带上了车。车往看守所开去。

孙民一直看着李百义，看他很疲倦的样子，靠在车上。孙民突然说了一句，你很像演说家嘛。

李百义一愣，没说什么。

孙民说，你不怕死吗？

李百义说，怕。

孙民说，我看你不怕。

李百义问，我女儿怎么样了？麻烦你……

孙民说，放心吧。

过了一会儿，孙民说，我会替你留意，你自己管好自己。

顺　服

　　李好从法庭里被抬出来，当时她已经休克。老六用车把她送到医院里挂瓶。中午时分她感觉好些了，老六就把她送回龙腾宾馆，游德龙叫人给她做了烂烂的面条，她还是没有胃口吃。

　　陈佐松回来了。李好一见到他就放声大哭。陈佐松也不知道怎么安慰她。他自己都快休克了，脸色蜡黄。上午的庭审对他而言是一个重大失败。而这个障碍居然是他的当事人李百义。他知道李百义这样做并非出于简单的大义灭亲之类的理由，但他消灭的是他自己。

　　实际上陈佐松已经在庭审之前就隐隐感觉到这种威胁。从李百义事件的整个过程看，疑点很多。好像这是一个由李百义自己操纵的传奇。事实上李百义已经在庭上自己很清楚地说明了他的想法，他并非操纵者，但他接受这样的结果。这样分析就更传奇：似乎是李好冥冥之中演出了这幕戏剧，而李百义收养她十年就是为了今天这个结果，由自己最亲爱的人把他送进了他自己走不进去的地方。

　　陈佐松为自己是李百义的亲密朋友居然不了解他的历史感到遗

憾；也为自己不能彻底说服李百义坚持自首说法而懊丧。但他仍然相信李百义这样做是有理由的，只是他尚不能很好地理解这种理由。当然，还有一种更荒唐的推测：李百义是自己想寻死，他可能试图用一种由别人实施的对自己的刺杀的方法，达到自杀的目的。但这种推测的可笑之处在于，李百义绝对是一个有自杀勇气的人，他不会这样做。可是他为什么要前来接受法庭审判呢？而且他在法庭上所作的供词对自己极端不利，无异于自绝——就是被别人审判，同时又亲手将自己送入死亡之门。这是李百义以前最不想接受的结果。

李好似乎看到了深藏于尽头的结局的面貌。这是她最不愿意看到的景象。如果李百义因此被判死刑，她不会认为是李百义自作自受，她会一辈子陷入自责，或者干脆失去继续活下去的可能性。因为是她把父亲交出去的。李好不停地哭泣，陈佐松轻轻用手抚摸她的肩膀。

游德龙说，这一下可怎么办？李百义自己这样说，就没有可能翻盘了。

老六说，我看还得用钱砸，五万不够就十万，十万不够就二十万，二十万不够就五十万，一百万，我就是把厂子卖了，也要把百义救出来。我就不信那些人是铁打的。

游德龙说，陈律师，有没有别的办法？

陈佐松叹了一口气：第一条最有利的理由让李百义自己推翻了，现在，只能拿出第二个杀手锏。

老六问，是什么呢？

陈佐松说，李百义整个命运的改变来自于他受过的不公平的待遇，他杀钱家明的最直接原因就是钱家明对他父亲刑讯逼供，最后导致他父亲死亡。如果能及时把这个案子查清楚，就很有利于百义的案子。因为杀人动机可以重新分析。

老六说，可是他父亲是失踪的呀，人都消失十年了，你连一根头发都找不着，怎么拿到证据呢？

陈佐松站起来，把一大杯水一饮而尽，说，那我就一根一根头发找。

游德龙赞同这个意见：这是个突破口，如果证实李百义的父亲就是钱家明杀害的，即使判李百义的罪，也不至于是死罪。

老六问，那你怎么着手呢？要不要用钱？

陈佐松说，我要去见百义。

李好突然说，我也要见他。

陈佐松为难地说，你是不能见他的。

李好固执地说，不，我一定要见他！

陈佐松不吱声……他不知道如何是好。

游德龙说，她既然那么想见，我们就想想办法。孙民现在调任看守所长，找他想想办法。我跟他也认识的。

老六说，他原来就是办这案的，能行吗？

游德龙说，这个人比较开通的，我们试试看吧。

陈佐松想了想，同意了。他对孙民的印象不坏，这个沉默寡言的人身上有一种耐人寻味的气质，不是那种头脑简单的人。

……陈佐松和游德龙带着李好来到了看守所。陈佐松没有事先申请，直接到办公室找了孙民。

孙民见到陈佐松时有些吃惊。不过他仍然感激陈佐松在黄城对他的协助，只是对他突然放弃职务来当李百义的律师感到震惊。

你和李百义真是好朋友啊。孙民端上茶给他。

我们是好朋友。陈佐松说，不过，我这次是真的认为，李百义的案子很有辩护的必要。

孙民摸着下巴说，这个人嘛，有点意思。不过他在法庭上的说法对他很不利。

陈佐松没吱声。孙民说，你很受挫吧？我能理解。但我对李百义的行为有些弄不明白。

陈佐松说，你很负责任嘛，还这么关心这个案子。

孙民手一摆，不不不，我已经完成我的任务了，跟我没关系，你看，我都调任到这里上班了，只是天天能看到李百义，就会想想而已。跟我没关系。

有关系。陈佐松说，你十年前就负责这个案子，我想问，为什么十年前李百义父亲失踪案会不了了之？

孙民看了陈佐松一眼，他停了好一会儿，才说，人，失踪了，就是这样。

失踪了？陈佐松问，就没好好找一找？

孙民说，找了呀，找不到啊。

陈佐松问，麻烦问一下，他是怎么失踪的？

孙民手顶着下巴，好像陷入沉思。

陈佐松说，你是当时介入这案子的，可能会比较清楚一点。

孙民摆手，不不不，我办的是李百义杀害钱家明案，不是他父亲的失踪案。

陈佐松笑了，说，是，我知道，但我想，可能你会从旁了解一些。而且，孙所长您这人比较好心，随和，所以我才想问你几句。

孙民这才释怀，说，我告诉你，失踪就是失踪，这是没有问题的，至于怎么失踪，我也不知道。好像是爬窗户什么的，我记不清了。陈律师，你今天来就是要了解这些吗？

不是不是。陈佐松说，今天来是为另一件事，这事我只是顺便问问。

孙民笑道，别的事我可以帮忙，就这事我帮不了。

陈佐松说，李百义的女儿很想见她父亲，我想，你能不能给一点时间，你们可以在旁边监督。

孙民犹豫了。

这时，游德龙进来了，他和孙民打了个招呼，说，都是我的朋友。

他把一包礼物放在桌上，说，老孙，你就给他们一点时间，没别的，保证不串供。

陈佐松说，李百义和女儿真的是纯粹见个面，我跟李百义见面要交换意见，他和他女儿见面是亲情的问题，不涉案情。

……孙民咬着嘴唇。后来他把礼物一推，说，这样吧，这个东西拿回去，这不是要害我嘛。给他们十分钟，要快一点。不要说案子，不要害我。

游德龙说，绝对不会，绝对不会。

李百义被叫出来，见面地点在孙民办公室。孙民就站在旁边。

李百义看见李好出现在那里，非常吃惊。李好见到他的时候，泪水夺眶而出。她上去紧紧抱住了李百义。

眼泪就顺着他的号衣往下流，李百义感到了一股热流。他心一抖，好像摔在地上碎了。

好好……李百义叫了一声。

突然，李好打了父亲一拳，李百义很吃惊。不过，他马上明白了。

李好愤怒地开始扯李百义的衣服。

告诉我，你干吗那样做?! 她哭泣道。

李百义抵挡着，说，好好，你冷静点儿，我没事的。

可是李好似乎丧失理智，用头去顶他。

你根本不爱我！你要抛下我。她说。

孙民看不对劲儿，说，哎，哎，冷静点儿。

李百义就紧紧抱住李好，抱得好紧，控制住她了。他对孙民说，对不起。

但孙民突然好像受到感动。他的鼻子有些酸。这是他看过的最揪心的场面，比他看过的死刑诀别还让人难受，有一种特殊的气氛。

李百义不停地对女儿说，好好，放心，我不会死，不会。

可是李好还是像昏迷了一样，闭着眼睛，身体软瘫，倒在李百义怀里。这幅图景看上去真的如有些人猜测的，不像一对父女，倒像一对恋人。

李百义继续不停地说，好好，我不会死，我保证，啊。

李好脸色苍白，嘴唇失去血色，看样子又是休克了。

孙民说，她怎么啦？

李百义突然哭了，喊着女儿的名字，好好，好好，你怎么啦？

李百义几乎从来不哭的，现在他忍不住哭出声来。

陈佐松说，她一天没吃饭了。

孙民叫人去弄了白糖水来。你看，我给了你们方便，别给我惹事儿。他说。

陈佐松喂李好喝下糖水。

孙民说，好了好了，她得出去了，陈佐松您可以留在这里。

游德龙扶李好出去了。陈佐松在李百义对面坐下来。孙民说，你们见面本来是合法的，但今天毕竟没有申请，时间也不要太长。

陈佐松说好的。

陈佐松看着李百义。李百义痛苦得伏在桌上哭泣。这是陈佐松十年来第一次看到李百义这样伤心地流泪。所以，他十分震惊。

孙民在一旁坐着，摸着并没有胡子的下巴。

陈佐松对李百义小声说，你看，你干的什么事儿。

李百义趴着，不吱声。陈佐松递给他纸巾。

他擦了泪水。

陈佐松后来轻声说，行了，别难过了。

李百义说，你那边怎么办？

陈佐松说你别管我，好不好？想想你自己，该怎么办？

李百义看了一眼窗外，窗外的树叶开始发黄。他神情恍惚地说，夏天过去了，要入秋了吧……

陈佐松说，那事儿，我不怪你，但现在开始你要配合我。你要是真的替我那边的事着急，就配合我，让我工作顺利。

李百义说，佐松，把你牵进来，真不好意思，这不是我的本意，所以，我没有告诉过你关于我的事情。

现在不谈这个。陈佐松说，我们谈工作，你能不能谈谈你父亲的失踪事件。

李百义想了想，说，他们说他失踪了，就这样。

陈佐松说，那你自己认为呢？你去调查了吗？

李百义说，我去调查了，没找到我父亲。这些事我真的忘记了。

陈佐松感到不悦，你忘记了？

李百义说，我忘记的是一些细节，他死了，不是失踪，这我不会忘记。关于细节，老六知道，要不你去问他好了，时间太长，我真的忘记了。

孙民认真地听。他的两道粗眉毛已经连成一条了。

陈佐松不能相信李百义说他忘记了那件事件。他悻悻地说，好吧，我找老六。我一定会把事情弄明白的。

这时孙民说，好了，你们不能谈这些，今天不是工作日。陈律师，我看就到这儿吧。

陈佐松只好站起来，和李百义握手。他说，百义，你要记住，你不是在追求公正吗？我也是。

李百义点点头，说，佐松，你要保重身体。

陈佐松没吱声，对孙民说了声谢谢，一低头就出去了。

……陈佐松走后，孙民好像没有立即把李百义提回号室的意思。他看着李百义，说，你们真是好朋友。

李百义笑了笑，点点头。

孙民摸着下巴，说，你真把十年前的事情忘了吗？

李百义说，有的忘了，有的没忘。

孙民问，你不相信你父亲失踪了吗？

李百义沉默了。后来他说，这几年，我做过梦，我愿意他在天堂。

孙民说，你会配合陈佐松的调查吗？

李百义看了他一眼，说，他说了，他也在追求公正。

孙民叹了口气，站起来，说，不要搞得太大，太复杂，可能反而对你不利，现在你在黄城的慈善事业有利于对你的量刑，有些事情如果弄得太清楚，容易复杂化。当然，我只是在关心你。知道吗？

李百义说，知道。

回去吧。孙民说。

孙民和李百义来到号室门口，突然听到里面传出一阵号叫。墙上的哨兵喊道：又搞什么名堂？

门打开了。张德彪双手伸进刚打来的开水里。孙民冲进去。一脚把他踢倒在地上，他的手烫得通红。

校长，不是我们干的。里面的人对孙民说，是他自己伸进去的。

孙民蹲下来，看着张德彪。他躺在地上呻吟。

他吩咐人带他到医疗室。可是他不走，用脚死死勾住门。

孙民说，让周医生带药过来。

说完就出去了。李百义蹲在张德彪面前，张德彪用一种奇怪眼神看他，说，大哥，让你看笑话了。

德彪……李百义不知道说什么好。

我……我想看看，痛……最痛是什么感觉。他轻声说，痛和死是不是一个样……

李百义说，别做傻事。

有人说，死不可怕，人怕死是因为怕痛。他们是胡说！张德彪咬着牙说，痛一点儿也不可怕，我能忍受，今天我算明白了……他伸出那根被李百义命令切掉一半的手指，说，大哥，你让我偷，又不让我犯规，太难了，连打篮球也出错儿呢；你只让我做好事儿，不许我做坏事儿，可这怎么能分得清呢？嗯？我分不清，分不清，我不管它！这世界上有哪一个人敢站在我面前，说他一辈子从来没做过坏事儿，我……我就服他，给他当牛做马，有吗？有他妈的大头鬼！所以，我什么坏事都干，我就干，谁能说我是坏人？不是说坏人到死那一天会害怕吗？不会，我就不会。我快死了，可是我一点儿也不害怕，我还挺高兴。你看，我笑，我笑得嘴都咧开了。

他哈哈大笑起来。

医生来了。张德彪不肯上药，李百义大喝一声混蛋！他就不吱声了。嫌犯们都看在眼里。

上完药的张德彪躺在床上，发愣。

这天晚上，李百义很早就睡着了。他梦见了父亲。老人站在一条水沟里，沟里塞满了污泥。李百义对着他哭，可是他还是不过来。清晨，他被铃声催醒，才想起今天要开庭。

上午九点，他来到法庭。李百义看到了老六，没有看到李好，他开始紧张，头左顾右盼。陈佐松向他点点头，示意他放心。他能明白陈佐松的意思。

陈佐松怕法庭上又出现什么场面让李好受不了，就没有让她来。他今天准备了他调查好的资料，在法庭上向法官提出了李百义父亲失踪案和李百义杀人案两案之间的关联性。他用了很长时间向法庭举证，陈述了当年李百义父亲失踪案的情况，并出示了相关照片。

老六作为证人在法庭上作证。老六向法庭举证，说明当时并没有强大的证据表明李百义父亲是失踪，反而有证据表明以钱家明为首的派出所人员对当事人进行刑讯逼供。

刘汉民要他举出证据和证人。

老六说出了当时提供消息的联防队员的名字。

刘汉民以老六本身就是当年的涉案人员为由，对证人证词的可靠性提出质疑。

王法官让被告人陈述。

李百义说，我不能肯定我父亲是不是失踪。

刘汉民说，既然你不能肯定，为什么当初就以此为理由对钱家明实施杀害？

李百义说，这就是我十年来的痛苦，我不能保证我的公正。

刘汉民问，你认为这是否也属于证据不足事实不清呢？

李百义说，是的。

刘汉民说，好，我的话问完了。

听众哗然。

李百义说，可是，我愿意对我做的事负责，接受任何审判结果。

陈佐松站起来说，我的当事人愿意对自己的行为负责，可是你们呢？

这时，黑汉带着一批人冲进来，闹哄哄的。

他们大喊支持李百义。李百义脸上出现痛苦神情，他说，我谢谢你们，但是请你们回去，回家去。

大家愣住了。他们想不到李百义会说这样的话。

李百义面对他们说，你们不要在法庭上闹，我的法庭在我的心里。

黑汉喊，你不应该死！

李百义说，有一个人告诉我这样一个故事，一个通奸的妇人按法律要用石头砸死，可是有一个人就问那些要砸她的人，你们哪一个没有罪，就可以用石头砸她。结果没一个人敢砸，都退出去了。我想，今天我们站在那些人的地位上，想一想，我们有没有罪，没有，我们就把石头举起来，有，就把石头放下。有没有？

那些人不吱声。但手里拿着棍棒。

李百义举起双手，说，我这双手拿过棍子，也拿过刀，现在，我手上什么也没有了。

抗议群众慢慢地一个一个退出去了。

判　决

随着宣判的临近，另一个人也忙碌了起来，这个人就是孙民。他常常网开一面，允许陈佐松和李百义在工作时间之外的时候见面。陈佐松利用这个机会和李百义讨论关于他父亲失踪案的调查。在正常的工作时间里，有很多人会出现在陈佐松和李百义的谈话场所，使得陈佐松的谈话变得期期艾艾，他总是怀疑有人偷听。而现在，只有孙民一个人在场。在陈佐松眼里看来，他大约是可以信任的人了。因为他摸到了这人的良心。

但事实也许和陈佐松的猜测有出入。这并不是说孙民充当了间谍，但他这样对陈佐松和李百义网开一面，的确也不是完全为了他们，而是为了他自己。一个不为人知的秘密展开了。

就在前一周，有一个女人来到孙民家里。这个人的到来让孙民心中的不安重新唤醒。他已经猜到这个人会来，但孙民本想通过调任看守所把李百义案完全甩掉，但事实证明此事并没有过去。这个来找他的女人就是钱家明的老婆王梅。

王梅来找孙民是有理由的。在李百义父亲失踪案发生当时，孙民正好在钱家明所在派出所当刑侦中队长，案情发生后一周，孙民调任市局副大队长。他亲眼目睹和参与了对李百义父亲的审讯。虽然后来他没有介入失踪案，但他接受了对李百义案的侦查。

他看到了那个老人瑟瑟发抖的身影。大约有五六个人来对付他。三个公安和三个联防队员。孙民只掌了老人几个嘴巴。他感到恶心。有联防队员跳起来用手猛斫老人的后颈。最后一棍是钱家明下手的。孙民看到老人的后脑有一股像雾状的血喷出来。这时他才知道，血喷的时候有时会像一团雾那样好看。

孙民真的吐了。他看过很多死人，但那天却吐了。他走的时候老人还未断气。但凭他的经验，他可以保证老人会在半小时内死亡。死因一定是钝性外力致人颈椎错位引起呼吸中断，以及后颅脑破裂伤。他迅速离开了现场，很早就回了家。第二天，他听到了老人失踪的消息。

当时他接手李百义案时，恨不得马上将他捉拿归案。因为这样会尽快结束这件事情。但李百义却像一段历史那样消失了。在李百义消失的这十年里，孙民变了。他变得更加内向。他用了好多时间来思考这件事儿，他经常想像那个叫马木生的青年，现在在什么地方，做什么事。孙民从来没见过他，但似乎和他神交已久，甚至结成了朋友。孙民要承认，李百义真的在有些地方的表现是很奇怪的。他专偷贪官劫富济贫的行为也令他对孙民产生致命的吸引力，因为他颠覆了孙民对罪犯一词的认识。

这就是孙民从黄城一路过来对李百义特别注意的原因，也是他调任看守所长之后继续关注本案的原因。要他罢手，只有等到尘埃落定宣判结束。可是现在，一个让他忧心忡忡的新情况发生，王梅来找他的原因就在于此。随着陈佐松调查的深入，钱家明刑讯逼供案的真相渐渐浮出水面。孙民感到自己仿佛一个潜水已久的人慢慢露出水面，感到了水面彻骨的凉风。

王梅要他快想办法，因为她的弟弟也参与了此事，她不想赔上丈夫又搭上弟弟。孙民一筹莫展。他草草把王梅打发走，自己陷入了恐惧的深渊。

他一次又一次地谛听陈佐松和李百义的谈话，好像看到了那个秘密渐渐浮上来。有一次，当陈佐松离开后，孙民把李百义留了下来。他拿来一盘花生米，说，来，吃点花生米。

李百义已经习惯孙民对他的优待，他把孙民的举动视为一种好意。他们聊了一会儿陈佐松，又聊了聊李百义的女儿。孙民问，有什么证据肯定你父亲不是失踪？

直觉。李百义说。

那你后来为什么要跑呢？孙民问，是害怕吗？

李百义摇头，不是。

那是什么？孙民说，我找了你好久。

自由。李百义回答。

自由？孙民站起来思忖。你在黄城已经自由了。如果没有你女儿，我们真的很难找到你。可是你已经自由了，为什么又要回来？

也是自由。李百义说。

自由？孙民说，你解释解释。

李百义说，没什么解释的，起先是要外面的自由，后来是要心里的自由。

我知道了。孙民笑道，你是为了心里的自由，可以放弃外面的自由。你很有个性。

……在和李百义谈话后的一周内，孙民魂不守舍。周一上午，陈佐松来看守所时，竟然找孙民询问关于那天晚上老人失踪的事情，理由是孙民当时任该派出所的中队长。

我是中队长，但我没介入这个案子，这个案子从头到尾是钱家明负责。孙民辩解，当时我在负责桐江的另一个无头案。

陈佐松说，我没有怀疑的意思，我只是来向你询问一下有关情况。

但这已经让孙民浑身不舒服。那天，他很早就回了家，躺在床上，好像有些发烧的样子。妻子给他量体温，是正常的。她给他熬了碗姜汤。

孙民睡得迷迷糊糊。这个案子给他带来了从未有过的压力。他好像做梦了，又好像在现实中。晃来晃去总是李百义的影子。孙民有一种很奇怪的想像，好像李百义是他的兄弟，他用手一拍孙民的肩膀，说，我们是兄弟，你怎么会打自己的父亲呢？那是误会，一笔勾销。过去的都过去了。孙民心中的石头落地，他觉得有李百义这么个兄弟，太幸福了。他醒了，发觉只是个梦。孙民心中竟涌起一丝淡淡的失望。

上午陈佐松又来找他，要他说明情况。孙民突然发火，把陈佐松轰走了。孙民从来没发过这么大的火，这并不像他的脾气。陈佐松走后，孙民觉得快透不过气来了，他到医疗室吸了一会儿氧。

陈佐松已经胸有成竹。他从孙民的眼神里看到了真相。孙民突然失控的情绪把最隐秘的角落暴露。陈佐松没想到孙民也卷入此事，但他不抱孙民能出来作证的希望，因为他只要出来承认失踪案是刑讯逼供，他自己就脱不了干系。孙民今天出来说明，明天自己就进看守所。省看守所就是关那些犯罪的干部和警察的，在李百义的号室里，就关着一个刑讯逼供的警察和一个偷枪的武警。

上午，陈佐松和李好把从黄城来的群众送上了回家的火车。黑汉和黑嫂因为没有看到李百义的判决结果而伤心落泪。他们不想离开。黑汉说，不让上法庭，我们就在旅馆等。

陈佐松说，如果你们真爱李百义，就听他的话，他叫你们回去，一定有他的道理。

黑汉说，我们就是不放心。一个好人能犯啥子罪，都是不懂事的时候做的嘛，再说也过了十年了。

陈佐松说，连李百义都放心了，你们还有什么不放心的呢？

……黑汉说，好，好吧。

第二天上午，他们上了火车，留下了一大堆吃的用的，包括好几把他们亲手做的不容易折断的布扇，在监狱里有时用的东西坏了，好几天换不着。

老六把他们送上火车回来，建议要利用现在失踪案调查的好时机，做通王法官的工作。

现在是个机会。老六说，我今天晚上去找王法官。

陈佐松说，这样要坏事儿，现在的情形对我们是有利的。

他问李好，好好，你什么想法？

李好说，我只要他不死。

大家沉默了。

……当天晚上，老六自作主张找了王法官。

王法官住在法院宿舍的三楼。老六带了六万元现金，藏在一条中华烟里。王法官见到他，就知道他为什么而来。他认识老六，当初他的案子就是他经手办的，后来也在不同场合见过面。

老六说，王老，你知道我的来意。我不拐弯子，因为要救命。

王法官说，好，不拐弯子好。

老六说，李百义是个好人。

王法官说，法律不管他是不是好人，要看有没有罪。

老六说，罪是有，有大有小，看大看小。

王法官笑了，我第一回听说，罪还有看大看小。

老六解释，你看，罪本来是七年，律师一辩，变五年。合议庭一议，变三年。

原来是这个意思。王法官说，那你看，李百义的罪是大是小？

老六不吱声了，只是笑。他说，这就要看您和合议庭的结果了。

王法官叹了口气。不说话了。一会儿，他拿起那条烟来，掂了掂，说，这条烟可真沉哪。

老六说，王老，你自己看看，李百义是不是好人？您不要听我们说，您自己说？

王法官说，如果说李百义是好人，我更不能拿你这东西了，我拿了你这东西，不单是贪赃枉法的问题，是昧良心的问题。

老六说，您不收，我心里哪有底啊。

王法官说，拿了你这东西，我心里就没底了，我这样告诉你吧，我就是愿意拿千千万万人的东西，也不拿李百义的东西，懂了吧？

老六回到旅馆，把情况说明。陈佐松向他发火，幸亏法官没收东西，估计也不会说出去，否则又加了行贿的罪名。

老六说，奇怪了，他们都硬是不收李百义的东西，说只要是李百义的，什么也不能收。

游德龙说，是不是李百义从前打土豪的名气太大了，谁都怕？

老六说，我看不像，王法官像是被李百义感动了。

孙民终于熬不住了。这一周他仿佛活在一个黑洞里。虽然他是自由的，却有千万条绳子绑在身上。他体会到了在逃犯的感觉：在白天行走，却好像在黑夜。

他想到了解脱的各种办法，但只有一种是最有把握的，就是把一切公之于众。可是这样的结果是把自己关进看守所，而且要承受骂名。但如果不做任何表示，等到秘密公开，他同样也要进看守所，这样的话，他不会有骂名，但却有一种更严重的威胁，这种威胁来自李百义一方。因为李百义跟他说过，他放弃了外面的自由，得到了里面的自由。如果孙民选择后一种方式，可能两种自由一起丧失。

指认真相，就得平安。说谎，就受捆锁。现在成了一个简单的道理。孙民经过两个月的观察，亲眼看到了李百义在看守所的生活，这个人现在很平和，他每天晚上睡得很香，也吃得很多，所以李百义明显胖了。他在号室里提水，刷厕所，做得很认真。孙民认定，这就是一个有所放弃的人的表现。

可是现在，孙民要放弃的是他的自由。

如果他不放弃，按照孙民聪明的大脑判断，陈佐松会拼死把那个失踪案弄得水落石出，那时，它会是一个轰动的事件。因为现在上面正在整顿警界的刑讯逼供案件，净化执法环境。失踪案公开的那一天，孙民料定自己同样要进看守所。

又过了四天，孙民快要崩溃了。他感觉到的压力中，不但有外在的危机，而且有内在的良心谴责的成分。他看到了李百义案的全过程，当那些支持李百义的群众聚集在黄城公安局的时候，他第一次被震撼。因为他从来没有经历过这种场面。孙民从那一刻起对李百义刮目相看。在这之后对李百义的用心观察中，孙民目击了很多证据，显示这个人的心是自由的。李百义表现出来的从容、随和、喜悦，像是一股体味，是孙民可以闻到的。

这天晚上，孙民一个人留在看守所过夜。他的心中翻滚。折腾了一个晚上，无法入眠。

孙民出来散步，他来到号室上方，那是武警监控号室的制高点。孙民看到了在一个大通铺里睡着了的李百义，透过巨大的蚊帐，孙民看见李百义像婴儿一样蜷缩着，睡得很香。很久，他也没翻一下身。孙民回到房间，躺在床上，一直到凌晨三点，他还是清醒的。可是他的汗却湿透了衣服。他感到软弱了。这时的孙民感到无比软弱。他需要一个人给他力量，让他渡过难关。

在经过好几天的折磨之后，到了周四上午，孙民似乎越过了那座大山，作出了一个重大决定，准备向上级反映失踪案的真实情况。可是，应该找哪一层上级，他没有主意，最后，孙民决定，直接向市委反映情况。

孙民一个人悄悄来到了市委，找到了分管政法的副书记。他用了三个小时时间向副书记说明了十年前的那个失踪案的详细过程，就他所了解的部分已经表明，这是一宗典型的刑讯逼供案。

副书记听完说明后十分震惊。他最后的表态是：不惜一切代价彻底查清失踪案的案情，无论涉及何人，一切按法律程序处理相关涉案人。这是要拿自己的系统开刀的信号。

孙民说明情况后离开了市委。当他走出市委大门时，似乎有一些恍惚。他突然意识到他做了一件大事，这件事可能会引发一个地震，他要承担它的后果。他打了一个寒战：这会不会是一个错误？自己是不是夸大了那件事情的严重性？也许自己真的是中了邪，中了李百义的邪。这个人有一种魔力，会吸引别人，并引导别人作出某种决定。

孙民看着市委广场上众多走来走去的人，他想，也许从明天开始，我就会从这堆人里面消失，进到看守所里。我的代价太大了。一种即将失去自由的恐惧笼罩了他。

孙民立即回到看守所。他来到号室外的草地上，一眼就看到了李百义。他在拔草。孙民用了好长时间观察他。他看了好久，想找出李百义和别的犯人有什么不同。

终于，他发现，李百义的眼睛里，有一种和别人完全不一样的光芒。既不是仇恨，也不是恐惧，不是茫然，也没有莫衷一是，这是孙民熟悉的几种眼神。但李百义的眼神不属于这其中的任何一种。李百义的眼神里是一种简单得令人不可思议的目光，他只专心地盯着他要拔的草，草在哪里，眼神就在哪里，那眼神纯粹得就像一只小狗的眼睛，或者像兔子的眼睛。在这双眼睛里，现在只有草，没有任何别的东西。

孙民突然有一种获得解脱的感觉。好像有一件沉重的衣服从他身上脱下。他想，我要记住这个声音，我没有做错。

他突然感到疲倦。他回到房间，躺在床上，很快就睡着了。

……李百义根本没注意到孙民在观察他。他拔完草，回到号室。张德彪在床上打坐。最近几天，他常常这样一动不动。李百义坐到床上，张德彪突然转过身问他，百义，我不怕死，真的，只要事先告诉我一声就好。

李百义不知道说什么好。因为张德彪已经被告知，明天早晨他就要被执行了。所以，他这几天就在打坐。他说，我保证我是一条汉子。为了这个保证，他不断调整情绪。甚至少有的和大家打牌。

到那一天，我敢看着枪毙我的人。我不鸟他们。张德彪说，可是他们敢摘下口罩吗？百义，我不后悔我干的，我就是坏人，怎么着？

不过，我佩服你，虽然你投案，我不相信是你自己要投的，你自己也说不是，所以，你永远是大哥；我看不起老六，他现在活得好好的，好像很滋润，可他等于死了一样。我死了，就像还活着一样。这就是英雄。英雄是不怕死的。

第二天清晨五点。有人把张德彪叫醒，大家都醒了。大家上前和他告别。这时张德彪突然变得十分软弱。他抱住李百义不放手。

李百义轻轻抚摸他的肩膀。

你会不会来？张德彪说，你不会的，你不会判死刑。

李百义说，我会，我会来。

警察把他拉开。当两名警察让他走出去时，张德彪的双腿明显软了下去。

警察只好用四只手架住他。他是被拖出去的。

脚镣声远去了。大家都没说话。有人点起了卫生香，被武警制止，打火机被搜走了。

李百义一个人面向窗外，他感到他的眼睛潮湿了。外面开始下毛毛雨。十年来他好像忘记了哭泣，但近来他总是经常抑制不了心中突然来临的悲伤。

这一整天李百义都心情不好。他总是在猜度张德彪被行刑的时刻。在他的眼前出现幻象，张德彪好像是在他杀死钱家明的那块地上被枪决的。

他似乎看到死后的张德彪向土地深处走去……他走了很久，遇见钱家明。死的人总要见面的。包括我自己。他想。我想像自己见到了张德彪，也见到了钱家明。

每一个死者脸上都好像有血。不过，血可以洗去，悲伤却留下了。李百义在夜晚的梦中见到了更多的人，所有死去的人，他们脸上没有血，但个个脸上都透着忧伤。

不到五点，他就醒来了。这是他进看守所睡得最不好的一夜。

上午，陈佐松来见他。

这一次，他没被带进孙民的办公室，而是在审问室。陈佐松带来了黑汉他们送给他的东西。

他们回去了。陈佐松告诉李百义，是昨天上午九点的火车。

更重要的是，陈佐松告诉他案情有了大的转机。他父亲马贵的失踪案经市委特批严查，现已查明，这是一宗典型的刑侦逼供案。收容所案情部分已查清，强奸马春等三名被收容人员的责任人，是该所内的三名临时工，其中一个吴姓嫌疑人，其父亲在公安局六处任副处长，他利用父亲的权力串通信访处的人，用钱卖通钱家明，为了阻止李百义父子的上访，对李百义父子实施了一系列的威胁和刑讯逼供，意图迫使他们放弃上告。钱家明等人在刑讯逼供时致使李百义父亲马贵当场死亡，为了掩盖事实真相，他们将尸体隐藏，用塑料袋沉埋于派出所的化粪坑内。现在，所有涉案人员均已批准逮捕。

现在严查刑讯逼供，他们没有好结果了。陈佐松说。

李百义听了没有表情。他并不感到震惊，好像在听一个早已不是秘密的迟来的消息。

是孙民举报的。陈佐松说，他也被控制了。因为，他参与了那天晚上的事。百义，你的心事了结了。

陈佐松说，还有，我辞职了。

李百义说，佐松，不要当律师了，你回黄城替我吧，做那个会长。

天　堂

　　李百义即将宣判的前一周，樟坂的报纸审慎地报道了案情的最新进展。但仍有好几家报纸继续将李百义被捕前的微笑和他的宣判结果相联系，作一些没有根据的揣测。事实上关于李百义的所有情况媒体都作过详细的报道。陈佐松和李好在宾馆的电视上，看到一个记者在看守所采访李百义时，还在使用通常的蔑视口吻，他的问话让陈佐松很不舒服。记者问李百义，你以为你这样做就可以逍遥法外吗？你听说过法网恢恢疏而不漏这句话吗？记者强逼李百义，你跟我谈谈对这句话的理解。

　　陈佐松气得当场把杯子砸向电视。他并不认为李百义因为做了慈善家而享有犯罪豁免权，但记者那种完全没有进入状况的情形让陈佐松很失望。但李百义在电视中显得很有耐心。他真的老老实实地回答记者所有的问话，他说，法网恢恢，但这个网并不疏，在心里它密得很。记者问他对即将来临的宣判有什么期待？李百义回答：我接受一切对我公义的审判。

记者问，你认罪吗？李百义回答，我认罪。记者又问，如果是死刑呢？李百义沉默了片刻，说，死并没有想像的那么坏，我理解，它是生的一部分。

记者不理会李百义的心情，继续问，死前你有什么要求？

陈佐松就是这时把杯子砸过去的。这个记者好像已经在和一具死尸说话。他脸上有一种稳操胜券的得意表情。

李好看不下去了，一下子捂着脸哭出来。

李百义回答，如果死，就捐尸体吧。

记者说，好。

记者得到了他想要的话，脸上有了满足的表情。李百义最后也露出了他招牌式的微笑，但这个镜头很短，显然是被掐掉了。

陈佐松安慰李好，那个家伙是在胡说。你父亲不会是那种结果，我心中有数。

李好扑在他怀里，她哭得肩膀耸动。

他要死，我就不活了。李好说。

陈佐松摸她的头，说，你这个小孩子，说什么话呢？沉尸案已经水落石出，相信有一个公义的判决。

……宣判在第二天上午进行。陈佐松不让李好去，但李好一定要去。老六说，你不让她去，不是显得你对宣判没信心吗？她待在家里能安心吗？陈佐松想想也是，就让李好一起去了法院。

李百义走进法院时，看见了女儿。李好用她噙满泪珠的眼睛望着他，让本来心中平静如水的李百义突然波澜翻滚。他的泪水也一下子侵上眼眶。他想，这不是因为死，是因为离别。

陈佐松却用一种胜利的微笑和他打招呼。李百义心中稍微平静了些。他悄悄地擦去了泪水。

宣判很简短。王法官对判决书的犯罪过程部分念了好久。李好无法听清所有内容，只有最重要的几句她听清楚了：李百义犯有故意杀人罪……案情和杀人动机复杂……在心理上形成……两案对照可见出……认罪悔改表现……量刑适当……从轻处罚，判处死刑，缓期两年执行，剥夺政治权利终身。

宣判结束。陈佐松脸上明显缓和下来。李好却全身发软，瘫倒在陈佐松身上。陈佐松说，好好，没事的，这就是没事儿了。

老六说，不是说无期徒刑的吗？

陈佐松说，一样的，对李百义，都是一样的。

李百义听完判决，没有表示，只是点了一下头。王法官问他有什么要说的，他说没有。

王法官宣布退庭。人群开始散出。当法警要把李百义带出去时，李好突然冲上去，紧紧抱住他。

李百义抚摸她的头，说，好好，没事儿的。

李好泪水模糊。她突然开始亲吻他的脸。

李百义的泪水夺眶而出。

大家纷纷看过来。警察把他们拉开了。李百义上了警车。

陈佐松扶住李好，说，他一切会很好，死缓就是无期，无期就是有期，有期就能减刑。他一定会减刑。

老六叹了口气，说，百义啊，实际上他已经在黄城自己做完了一个无期徒刑了。

李百义回到看守所，号室里的人纷纷来问宣判结果，李百义说是死缓，大家叹了一口气。油条说，我们以为是十五年，最多是无期。大胡子安慰李百义，没关系，对你来说死缓就是无期，不要说缓两年，就是缓十年，他们也找不到枪毙你的理由。

李百义笑笑说，我很满意这样的结果。

李百义满意这种结果，是要结束另一个牢狱。此前十年，他不因为恐惧而是因为不平仿佛身在监狱。他是那个要砸妇人的人，十年来一直举着那块砸不下去的石头，他很疲倦了。现在，他放下了石头。如果他不放下它，会因为吃力而使石头掉落，砸在自己脚上。

放下石头的李百义有一个重要变化，这是有关他个人的。他从一个复仇者变成了一个普通人。因此，现在他想起了一个人，想起了一个姑娘。这个做了他近十年女儿的姑娘，今天在法庭上使他落泪。当李好扑到他怀里时，李百义突然在心中涌起一种感情，一种温柔的、需要倾诉的感情。这在李百义是从来没有过的。李好在他眼中始终只是女儿，或一个女孩。可是在那一刹那，李百义生出了一种奇异的感觉：他很想抱住李好痛哭一顿，甚至埋首在她怀里。这是一个男人对女人的感情。

李百义被自己的感觉抓住了。但他意识到，它异乎寻常而又真实无误。李百义这才体会到女儿为什么会爱上他。现在，他也体会到了同样的感情，一个父亲爱上女儿的感情。而这种感情出现在一切尘埃落定之后。

这个男人从少年时代开始，就从来没尝过爱情，甚至没有想过什么叫爱情。他的所有精力都用于对付生存。今天，李百义好像第一次成了一个正常人。而且他很清楚地意识到：他爱上女儿了。

他用了三天时间来思考这个问题。李百义知道，如果他真的接受女儿的爱情，会导致什么结果。且不说公众会怎么看，连他自己也觉得这是另一种犯罪，自己要用尽一生在监狱中度过，他不能不考虑此事对李好的影响。按照他一贯的性格，他绝对不会让这种感觉变为现实。

但今天，李百义仿佛变了一个人，由一个无私的坚忍的人，突然变成了一个极度渴望爱的人。从宣判的那一刻起，李百义脱去了一切重担，恢复成了一个正常人。他意识到，他需要爱情。除了正义之外，还有爱。而爱就是李好。

我们相信李百义进入了一个短暂的恍惚期。他一反常态，写了平生第一封情书，是给李好的。他用了几个早晨来写这封信。好几次他写得泪流满面。

在信中他写道，好好，我现在才知道，我早就爱上了你，只是我不知道……在我寻找公义未得之前，我无法顾及爱是什么，因为一个不顺服的人，心中是只有恨而没有爱的……我收养你溺爱你，实际上是因为我需要爱，但对于那时的我，爱只能理解为付出，因为我从小到大，真的没尝过太多别人给予的爱……可是今天，我才知道，在公义、平等、道德、法律、能力、知识这所有一切中，最大的不是别的任何东西，原来就是爱啊……

李百义把这封滴满了他泪迹的情书封好，准备在上午李好看她的时候交给她。李百义知道不应该这样做，但他这样做了。这不像过去那个李百义。但如果不这样做，李百义会非常痛苦。

上午九点，女儿终于到看守所来看他了。

在会见室，李百义见到李好的时候，他的感觉真的起了变化。今天，李好穿了一件蓝色套装，虽然这套衣服对她的年纪来说偏大了一些，但穿在她身上有一种成熟之美。这是李百义从来没见过的李好，深沉的爱中透着的淡淡忧伤，仿佛都被吸收到这蓝色中了。

真的有那么巧吗？李百义想，她今天穿了这套衣服，好像在呼应他的感情。李百义第一次看到的不再是女儿，而是他爱的人。

李好说，爸爸，我准备好了东西，等你转送第一监狱时，我会送过去。你一定要保重。

李百义说，我很好，我死不了，好好，我会一辈子和你在一起。

说完这话，李百义突然抑制不住感情，眼泪哗哗地落了下来。李好看到父亲在离她这么近的地方落下泪来，心中也被一阵悲伤穿透，她抱住了父亲。

不哭。她说，你不要哭。

李百义说，好，我不哭了。可是他感到无比软弱，好像几十年的委屈都决堤而出。

爸爸。你不要哭。李好说，你一哭我就受不了。

李百义说，我不是因为……他不知道应该怎么说。他有一种冲动，想对李好说什么，但他压抑住了。

爸爸，你怎么啦？李好问。

这时，李百义多么想女儿能吻他一下。过去，他惧怕这种亲吻，现在，他却渴望。但李好没有，只是替他擦泪。

李百义还是从口袋中拿出了那封信，他把信放在桌上时，李好问，这是什么？

李百义……

当女儿要拿过去的时候，李百义突然颤抖了一下，按住了那封信，说，没什么，算了。

李好问，你是不是想上诉？

李百义说，不是，我不上诉。

陈叔也会来看你。李好说，我呢，想好了。我要报考樟坂的职业学院，这样，我可以经常来看你……

……有一件事，我想对爸爸说。李好突然说。

你说。李百义道。

……李好脸一下子红了。她支吾着。李百义仿佛猜到了她要说什么，他的心突然乱跳起来。这是多么奇怪，十年前他把这个小女孩领回家时，从来没想到会出现今天的局面。他想，如果十年前他就品尝到这么甜蜜的爱，可能一切都不会发生。现在，李百义在期待。

爸爸。李好低着头说，我写给你的那些信，我都带来了。就在几个月前，我要写这些信的时候，我并不知道爱是什么，我只知道我……爱你。但今天，虽然只过了短短几个月，我突然明白了太多的东西，也长大了，如果你不跟我讲你的过去，我得到的只是半个爸爸，我的爱也只是感恩，可是现在，我才知道，爱实际上比感恩要大得多，也多得多。我配不上爸爸，我多么幼稚，我写那些信又给你带来那么多困扰。

没有，你别这样说。李百义说。

几个月前，我已经决定不再叫你爸爸了，因为我爱上了你。李好望着李百义，可是今天，我又想重新叫你……爸爸。因为在你身上，我第一次看到了崇高。在学校的时候，老师老是跟我们说崇高，可是今天，我在自己父亲身上看到了，这是真的。所以，我没资格像一个女人那样爱上爸爸的。

她说着流下泪来，爸爸，原谅我不懂事，爸爸真的很伟大的，可是我只是个孩子，可是我却嚷着要和爸爸结婚，多可笑啊。真的，我做过好几回和爸爸结婚的梦呢。

李好抹去眼泪，说，我太幼稚了，爸爸的爱人怎么会是我这样孩子呢？我重新找回了距离，这个距离是真的，不要说我，没几个人能像爸爸这样……好了！我还是当我的女儿吧，这样爸爸就能像过去一样宠我，那多好啊。我会把那些信烧掉，爸爸就当我没做过那些事儿，从现在开始，我跟爸爸学怎么做人好了。我要重新叫你爸爸。

李百义愣着，他望着女儿，什么话也没说。

爸爸。李好抱住他，在他脸上亲了一口。我要走了。她说，你的信要我帮着寄吗？

李百义连忙把信塞回口袋，说，不，我不寄了。

那我走了，你要保重自己。李好起身说。

李百义说，你也要保重。

李好走了。在一阵短暂的失望之后，李百义感到一种奇异的解脱。他对自己说，你昏头，但命运会帮你，让你做对每一件事。

那个冲动是李百义唯一没在深夜冥想过的选择，因为他的心中注满了太多的渴望，所以他忘记了冥想。但现在，一切都结束了。那个作为他爱人的李好消逝在远方，但李百义不后悔，因为他已经得到爱了，而且他肯定，那就是爱情。

陈佐松在李百义即将转送第一监狱的前一天上午来看他。老六也来了。他看到李百义时哭了。

老六，李百义说，你哭什么啊。

老六说，没什么，就是好久没见，想得慌。

李百义说，德彪走了。

老六说，他倔得很，像一块石头一样。

李百义说，这几年你还好吗？

老六说，不好。

李百义说，什么不好？

累。老六说，等你出来，我还是跟你干。

陈佐松说，这回老六很热心要帮你，到处给人送钱。

老六苦笑，可是没一个敢收的。我看，王法官他们是被你感动了。

李百义打断说，老六，我们要到什么时候才不这样说话呢？

老六没想到李百义会这样生硬地打断他。

除了良心，没一个人能审判别人，也没一个人能感动别人。我是一个准备服刑的罪犯，别让良心也变成特权。

老六说，是是是。

陈佐松告诉李百义，他打算回樟坂，替他当那个会长。

可能你会对我失望的。陈佐松说，我没有你的力量，差得太远。

李百义说，谁能靠力量呢。

陈佐松问李百义转送前有什么要求。李百义对一旁的新任看守所长提出了一个要求：能不能让我在转送第一监狱的途中停留两个地方。

哪两个地方？所长问。

明天我父亲要火化，我想在路上看一眼；第二，我想去钱家明墓地看一看。李百义说。

陈佐松问，现在已经证明你父亲仍然是钱家明打死的，你还要去看他吗？

是。李百义说。

所长想了想：我去汇报一下再说。

第二天上午九点，李百义准备转送监狱前，所长告诉他，他的要求经过特批已经获得准许。

谢谢。李百义说。

他要离开了，李百义收拾好几件衣服，装在一个蛇皮袋子里。号室里的人一个一个和他握手。大胡子还专门嘱咐他要在离开看守所的时候，把旧衣服远远扔掉，这样才能带来好运气。李百义笑笑。

李百义在经过看守所走廊时意外地碰见了走进来的孙民。两个警察押着他，但他没有穿号服，也没有剃头。孙民看见他时也很意外。

孙民突然向他走过来，警察没有拦他。

转一监是吧？孙民说。

是。李百义回答。

一监的新训队吴队长是我朋友，你跟他说你是我朋友，让他照顾点儿。孙民说。

李百义说，谢谢你。你也要保重。

孙民说，我现在明白你说的那个自由了。

他故意装出一副很轻松的样子。

再见。他说。然后转身跟警察走了。

……李百义坐的警车上了街。在樟泉路的十字路口停了下来。这是拐往火葬场的路口。李好、老六和陈佐松在路口等他。他们今天要把李百义的父亲送去火葬。李百义下了车，看到了父亲。父亲已经腐烂，有几块尸块没有完全腐烂，都装在了新的黑色垃圾袋里。

李百义腿一软，跪了下来……他心中有一种刺痛穿过。父亲变成了一块一块的东西，装在垃圾袋里，这是他无法接受的。他嘶哑地叫了一声：爹！

不过，他马上使自己镇定下来。他想，人最后都会是这样，甚至会比这更小，更细微，也更难看。肉体真是无益的。

他对自己说，父亲，他不会责怪我的，还有母亲和春儿。

李百义站起来了，对陈佐松他们说，拜托你们。

……他上车走了。

他要去的第二个地方是钱家明墓地。

当李百义来到钱家明墓地的时候，竟发现这里聚集了一大堆记者。他没想到会来这么多人。

那些记者抢着把话筒伸过来，让他说对自己犯罪的想法。记者太多，把他挤得快摔倒了。

李百义只好一遍又一遍说，我很后悔。

闪光灯一直不停地亮着。

这时，所长说，你要求到这里来，要作什么表示吧？

李百义想了想，我鞠个躬吧。

所长说，好，就鞠个躬。

他让人让开，李百义来到墓前。有些没挤上去的记者说，等一下等一下。

李百义要鞠躬，所长急忙拦住他，等一等！

他招呼记者都站上来，并分配好他们的位置。

等记者都站齐了，所长说，好，你鞠躬吧。

李百义鞠了一躬。

所长说，三鞠躬。

李百义做了三鞠躬。

闪光灯一阵乱闪。

他往下走的时候，记者又把他拦住了。

他们问了很多问题，集中起来只有一个意思：你为什么会要求来看钱家明墓地？

李百义想了想，只说了一句：谁也没有权利剥夺他人生命。

人越挤越多，所长怕出事情，把李百义弄上车，很快地开走了。

可是车开回五一路往市第一监狱的时候，在前进东路突然被人堵住了。

所长问，出了什么事情。

一个警察下了车。李百义往窗外看，他看到了一群人在抗议。他再仔细看，就看到了标语。

标语上写着：凶手脱罪，民愤难平！

李百义还看到了他的名字，被红墨水打了叉。

钱家明的妻子坐在地上呼天抢地地哭。

队伍把车围住不让走。所长下车解释了半天也没有用。

李百义说，我下去再鞠个躬吧？

所长想了想，好，你鞠完马上上车。

李百义下了车，他鞠了个躬。可是鸡蛋马上就砸过来了。后来又有石头打到他头上，他的额头出血了。

所长叫，快上车！

一盆大便泼到李百义身上。警察冲过来，把他送上了另一辆车。车拼命挤出一条路开出去了。

浑身臭不可闻的李百义蜷缩在警车后面的笼子里。车开远了，抗议的人声也渐渐消失了。

李百义像一只动物一样蹲在笼子里，这时，他好像听到了另一种声音，像是幻觉，又像是真实的。似乎是一种歌声，从远处飘来。

他忘记了浑身上下滴着的粪水。他已经闻不到它的气味。车开出了城，经过了那片当年他跪在那里啃吃泥土哭泣的地方，也是他杀死钱家明的地方，现在，田野消失了，盖起了大楼。

但他还是闻到了泥土的气味，没有腥臭，而是一种土地的清香。

……监狱的围墙已隐约可见，朝阳照临它，镀上一层金色光芒。好像天国的景象。